CW00656059

ALBERT THIBAUDET

MISTRAL

ou

La République du Soleil

LE PASSÉ VIVANT

· HACHETTE ·

ALBERT THIBAUDET

MISTRAL

ou

La République du Soleil

[library stamp: BN]

LE PASSÉ VIVANT

· HACHETTE ·

MISTRAL

ou

La République du Soleil

[illegible] NOV 19[illegible]
DÉPOT LÉGAL
B.N. VOLUMES
[illegible]
[illegible] 10326

8° L46 210 (4)

DANS

“ *LE PASSÉ VIVANT* ”

ONT PARU :

• 1 •

LE 14 JUILLET

PAR **HENRI BÉRAUD**

■

• 2 •

Il était une fois

NAPOLÉON

PAR **JOSEPH DELTEIL**

■

• 3 •

AMIEL

Ou la part du rêve

PAR **ALBERT THIBAUDET**

■

PUIS VIENDRONT DES ŒUVRES DE :

ÉMILE BAUMANN
MARCEL DUPONT
MARC ELDER
RAYMOND ESCHOLIER
ABEL HERMANT
EUGÈNE MARSAN
FRANÇOIS MAURIAC
ANDRÉ MAUROIS
JACQUES RAULET
THIERRY SANDRE
ANDRÉ SAVIGNON
Etc., etc.

ALBERT THIBAUDET

MISTRAL

ou

La République du Soleil

LE PASSÉ VIVANT

· HACHETTE ·

Il a été tiré de cet ouvrage : 15 exemplaires sur papier de Madagascar, numérotés de 1 à 15 ; 350 exemplaires sur papier Alfa, numérotés de 1 à 350.

Tous droits de traduction, de reproduction et d'adaptation réservés pour tous pays.
Copyright by Librairie Hachette 1930.

PRÉFACE

On voudra bien ne pas adresser à ce livre le reproche sous lequel tombent parfois les biographies d'écrivains : à savoir le peu de place laissé à l'essentiel, qui est l'œuvre. Un autre ouvrage consacré à l'œuvre de Mistral suivra bientôt celui-ci. La vie de l'homme et la vie de l'œuvre, l'histoire de l'abeille, qui est du règne animal, et l'histoire du miel, qui est du règne végétal, se développent sur des plans et des rythmes si différents que le mieux est peut-être de laisser l'une et l'autre s'inscrire en toute indépendance sur leur registre propre.

On voudra bien également garder plus ou moins à cette République du Soleil, *qui a Mistral pour chef, cette manière de sous-titre attribué, dans la même collection, à la* Part du Rêve, *dont Amiel était le titulaire : des réflexions biographiques à propos de Mistral, plutôt qu'une biographie de Mistral.*

Des réflexions biographiques, d'abord parce que mon goût m'y porte, et ensuite, et surtout, parce que le moment d'une vraie biographie de Mistral n'est pas encore venu. Nous possédons déjà, bien entendu, des biographies provisoires, par exemple celle du félibre Marius André, un peu frappée d'illuminisme, ou encore les livres, anecdotiques, instructifs et amusants, que ce centenaire fait éclore. Mais, comme le dit fort justement Marius André, une vraie biographie de Mistral ne sera écrite que le jour où les cinquante mille lettres de ses correspondants, conservées et classées par lui, léguées à la bibliothèque d'Avignon, pourront être consultées, soit en 1964, cinquante ans après sa mort. Il faudra y joindre environ douze mille lettres, de Mistral et de ses amis félibres, Roumanille, Aubanel, Gaut, Berluc-Perussis (je ne parle que des morts), conservées dans les bibliothèques publiques et privées du Midi. J'en ai eu bien des liasses dans les mains. Toute l'histoire du Félibrige est là, et non ailleurs.

Non ailleurs, c'est-à-dire non dans le document imprimé, fût-il signé de Mistral. Les Mémoires *du poète méritent le genre de confiance qu'on accorde aux* Confidences *de Lamartine. Ils sont vrais, mais d'une vérité de poète. Je n'ai pas craint d'user quelquefois ici de cette vérité. Souvenons-nous seulement que c'est à quelques kilomètres de Maillane qu'Alphonse Daudet a placé la ville des poètes qui n'écrivent pas : Tarascon.*

Mais les Mémoires *ne forment qu'une partie infinitésimale de l'imprimé en cause. Mistral a légué au* Museon Arlaten *vingt énormes in-folio de coupures de presse à son sujet, depuis 1852 jusqu'à sa mort. J'ai feuilleté page par page tout le lot, très étonné d'en tirer si peu de chose, de me trouver souvent devant du banal, du conventionnel et du truqué. Je n'avais jamais eu à un tel point le sentiment que, malgré les forêts qui s'abattent tous les jours pour faire la pâte à papier quotidienne, l'authentique histoire demeure encore, pour le XXe siècle presque autant que pour le XVIIe, dans le manuscrit, dans ce qui sort après une, deux et plusieurs générations.*

Malgré les destructions volontaires, ce genre de sources va croissant en rendement. Il n'en est pas de même des témoignages oraux et vivants, qui vont en diminuant. Personnellement, j'ai à peine entrevu Mistral : un feutre gris, une main serrée, des propos sur la Bourgogne et le roi Boson, — le Poète.

Mais l'homme complet, réel, il est resté pour des amis, dont les témoignages diffèrent, se recoupent. J'en ai usé, j'ai interprété. On comprendra que je ne puisse citer aucun nom. Mais enfin, donnez à tout cela un mouvement de conversation sur la route de Saint-Rémy à Arles, ou de Maillane à Tarascon, ajoutez-y votre mot, ne manquez pas de contredire ou de rectifier, et vous serez dans le ton. Si un mistralien voit parfois en l'auteur de ce livre une manière d'avocat du diable, il n'oubliera pas que mon client est un diable familier à Mistral, le diable Porte-Pierre lui-même.

Maintenant, on demandera peut-être pourquoi un critique, qui n'est pas plus du Midi que n'en était le chancelier Mariéton (mais qui est, comme lui, sur la route), témoigne d'un goût pour la personne et l'œuvre de Mistral. Le centenaire de cette année n'y est presque pour rien. Il y a six ans que j'avais choisi Mistral pour mon lot dans une collection que devait diriger, à la même librairie, M. Louis Barthou, et qui n'aboutit pas. Une bonne partie des études et des notes de ce volume et de celui qui suivra datent de cette époque. Elles étaient à fleur de terre, et le centenaire les a amenées naturellement à la lumière. Pas plus.

Si j'attache une grande importance à Mistral, à l'œuvre félibréenne, à la renaissance provençale, à la littérature d'oc, ce n'est pas seulement, ce n'est pas surtout comme ami de la Provence et des Provençaux. C'est simplement comme critique français. Qu'est-ce que la littérature française?

Une grande chose, la plus grande chose littéraire, probablement, de tous les temps, après celle des Grecs, et qui a réussi sur une voie, la voie royale, la grande trouée de la littérature parisienne, qui va de Villon à Proust, à Valéry, à nos amis et maîtres d'aujourd'hui. Mais comprend-on pleinement la réussite de l'intelligence humaine qui, dans l'élan de la vie, a fini par se faire la voie libre, la comprend-on si on ne la voit en fonction des formes qui ont moins abouti, qui se sont heurtées dans des impasses, que le bonheur, la grâce, l'élection, n'ont point couronnées ; qui, cependant, ont fait puissamment et héroïquement leur tâche, et qui, par leur existence actuelle, maintiennent le principe de la diversité, mettent, dès la racine de l'être, un pluralisme de droit ?

Ainsi, à côté de la littérature française d'oïl et de Paris, qui a vaincu, qui a réussi, il y a la littérature étrangère d'oïl, de substance protestante, émigrée, faite par la Révocation de l'Édit de Nantes, celle qui a réussi et survécu en Suisse romande. Et il y à la littérature française d'oc, jamais complètement éteinte depuis les troubadours limousins, et qui, au XIXe siècle, avec le Félibrige, a couru sa chance, fait son œuvre, produit son chef-d'œuvre. Et l'œuvre de son chef. Le chef, c'est Mistral.

La Part du Rêve, chez le germanophile et calviniste Amiel, la République du Soleil gouvernée par Mistral, voilà deux climats qui nous servent de frontière et qui établissent des liaisons. Au moment où elle change, devient autre, trouve ses limites, se heurte à un autre climat, à une autre politique, la littérature française s'éprouve et se connaît mieux par ces résistances. Ce qui la borne la définit. Et d'ailleurs, ces bornes ne sont qu'une apparence. La vérité est faite d'une société, d'une fédération des trois littératures françaises : la littérature française des Français, la littérature française des étrangers, la littérature étrangère des Français.

La littérature étrangère des Français est la littérature d'oc. La grande pensée de Mistral : une France à deux littératures, une France qui prendrait cette figure double en laquelle les Grecs décomposaient, mode majeur et mode mineur, un sang héroïque, Electre et Chrysothemis, Antigone et Ismène, — cette pensée ne paraît pas en train d'aboutir. Il faut le déplorer. La disparition de la langue d'oc, de la littérature d'oc, serait (je n'ose dire sera) un malheur irréparable, une diminution de l'être français, du capital humain. Que ce livre atteste au moins sinon un travail, du moins une bonne volonté pour la ralentir d'un jour, d'un geste, d'une pensée.

Un détail ! Le sous-titre primitif était l'Empire du Soleil. *On m'a fait observer que l'étiquette était prise. J'en ai été quitte pour faire une révolution du 4 Septembre. Dans le texte j'emploierai indifféremment Empire ou République. Ainsi les écus de 1805, qui portent d'un côté* Napoléon Empereur, *et de l'autre* République Française.

MISTRAL

OU

LA RÉPUBLIQUE DU SOLEIL

CHAPITRE PREMIER

QUAND Mistral vint pour la première fois à Paris, des journaux prirent son nom pour un pseudonyme bien choisi. Il est porté aujourd'hui en Provence et dans le Dauphiné par des centaines de familles. Le *Trésor du Félibrige* le rattache au latin *ministerialis*, qui signifie collecteur de tailles, et admire que le même mot ait produit ménestrel : évidemment l'étoile est là ! Mistral n'empêchait personne de relier sa famille à de gros Mistral nobles ou bourgeois, comme ceux de Valence, qui furent seigneurs de Mondragon et de Romanil, et qui avaient un hôtel à Saint-Rémy. Pour lui, des Mistral paysans étaient plus probables et faisaient mieux l'affaire. Depuis des générations, ils se sont recrutés dans la plaine qui s'étend au pied des Alpilles, entre Saint-Rémy, Arles et Tarascon. Du parler pur et sonore de cette plaine, Roumanille et Mistral ont refait une grande langue littéraire. Ce rayon poétique dans l'arbre rural compose authentiquement pour Mistral le pain et le sel d'une noblesse et d'un Empire.

« Mes parents, des ménagers, étaient de ces familles qui vivent sur leur bien, au labeur de la terre, d'une génération à l'autre ! Les ménagers, au pays d'Arles, forment une classe à part : sorte d'aristocratie qui fait la transition entre paysans et bourgeois, et qui, comme toute autre, a son orgueil de caste. Car, si le paysan, habitant du village, cultive de ses bras, avec la bêche ou le hoyau, ses petits lopins de terre, le ménager, agriculteur en grand, dans les mas de Camargue, de Crau ou d'autre part, lui, travaille debout en chantant sa chanson, la main à la charrue. »

Cette manière d'agriculteur en grand resta la manière de Mistral. Les rythmes du travail terrien passèrent dans le rythme de sa création poétique. Il ne composait jamais ses vers assis à son bureau, mais dehors, au branle de son pas, en communion avec la nature, chantant sa chanson, debout ; à peine le carnet en poche pour la noter, mais la mémoire suffisait presque. Je ne crois pas que l'on comprenne par l'intérieur la grande strophe épique de *Mireille* et de *Calendal*, avec sa respiration robuste, son mouvement jeune et musclé, son soleil, son courant, son mistral, si l'on oublie le plein air qui la nourrit, et le poète en marche qui la trace dans une matière et résistante et consentante, comme le laboureur à sa charrue.

Lisez au chapitre XI des *Mémoires* la *Rentrée au Mas*. Le jeune homme vient de terminer à Aix ses études de droit. Il est revenu par un soir d'août. Son père le laisse libre de choisir sa voie. Il ne la cherchera pas loin. Quelques mois plus tard, dit-il, « plein de ce remous, de ce bouillonnement de sève provençale qui me gonflait le cœur, libre d'inclination envers toute maîtrise ou influence littéraire, fort de l'indépendance qui me donnait des ailes, assuré que plus rien ne viendrait me déranger, un soir, par les semailles, à la vue des laboureurs qui suivaient en chantant la charrue dans la raie, j'entamai, gloire à Dieu ! le premier chant de *Mireille.* »

Comment l'entama-t-il ? Peu importe ! Et nous voyons, par exemple, que la version primitive, les vers qui peut-être accompagnèrent, aux semailles de 1851, les laboureurs du Mas du Juge, commençaient par :

Cante uno chato, que pecaire
Noun pousqu'ave soun calignaire,

début à la Favre ou à la Roumanille, qui, évidemment, n'a point l'ampleur de la belle et allante strophe initiale trouvée sans doute des mois ou des années plus tard. C'est à la terre de lancer l'épi vert, au soleil de mûrir plus tard l'épi d'or.

Comme Lamartine, Mistral s'est construit dans les *Mémoires* un père un peu légendaire, et l'on fera bien de ne pas prendre à la lettre tels contes biographiques écrits d'abord pour l'*Armana Prouvençau.* François Mistral avait vingt et un ans au moment de la levée en masse. Volontaire ou non, il fut en 1793 de l'armée des Pyrénées et du siège de Toulon.

En 1868, quand les Félibres, annoncés, conduits, escortés par leur ami Balaguer, allèrent en Catalogne, ils se trouvèrent un dimanche à Figueras. Ils entraient à l'église pour la messe. Balaguer leur apprit qu'elle allait être dite pour François Mistral, qui fut en 1793 l'un des soldats de la République par qui Figueras fut prise.

Si François Mistral a passé dans le Ramon et dans l'Ambroise de *Mireille*, un troisième garde aussi beaucoup de lui : c'est son fils Frédéric. La sagesse de Mistral fut la sagesse de son père. Paysan fidèle au passé, ce François, et qui ne pense pas qu'on puisse se tromper en faisant ce qu'ont fait les pères. Quand Mistral, dans une ode célèbre, promet aux paysans qu'ils resteront maîtres du pays, qu'ils verront passer les barbaries, les civilisations, les révolutions, pareils aux vieux noyers des champs, il pense à ce père, qui, de Louis XV à Napoléon III, a vécu sous une douzaine de princes ou de régimes, quand tout changeait là-haut, et dont aucun mouvement venu de Paris, aucun dépaysement militaire n'a effleuré le fond, touché les quelques idées antiques, efficientes, dominatrices. Comme la fontaine de Vaucluse jaillit du rocher frais, Mistral et sa poésie sortent d'un bloc de durée paysanne.

Paysan, il unit à un substantiel bon sens, à une lucidité de terrien, un paganisme profond. Il utilise tout le large crédit de superstitions que l'Église, dans les campagnes, ouvre ou tolère. Les phénomènes de la nature se classaient pour lui selon qu'ils portaient malheur ou qu'ils portaient chance. Un jour, toutes sortes de maux fondirent sur la propriété : son père reconnut que c'était parce qu'il avait abattu un arbre, et plus tard Mistral lui donne raison. Un arbre, dit-il, est une poussée de vie qui se retourne contre vous si vous la contrariez. La part de mysticisme païen qu'il y a dans le Félibrige lui vient du poète de Maillane. Mistral savait et répétait tous les proverbes de la Provence. Cette sagesse de son peuple était pour lui la bonne ; il l'utilisait toujours à propos. Par exemple, si un monsieur de Paris lui demande pour son journal son opinion sur la peine de mort, il se contente de lui écrire sur son papier :

Justice molle
Rend la gent folle.

François Mistral avait épousé, en 1800, la fille de notaires maillanais, les Laville. Avec son père Antoine Mistral, il exploitait un mas à Maillane, celui de Cavalier, d'autres mas à Beaucaire et en Languedoc, et c'est seulement à partir de 1811 qu'après des partages de famille il se fixa définitivement au mas du Juge, acheté par les Mistral en 1804. Sa femme mourut en 1825, laissant une fille et un garçon déjà grands. Trois ans plus tard, à cinquante-six ans, il épousait une jeunesse, Adélaïde, ou la Délaïde Poulinet, la mère de Frédéric.

Le beau-père, Étienne Poulinet, était, comme François, un ménager propriétaire, mais fort mauvais ménager de son bien. Comme on dit en Bourgogne, il se mangeait. Et il se buvait. Roger-Bontemps du pays, il était de toutes les fêtes, qui ne manquaient pas, et entre lesquelles il y en avait une connue du monde entier, la foire de Beaucaire, où on lui volait ses mouchoirs pendant qu'il riait aux larmes en regardant Polichinelle. Jamais, cependant, le perroquet Jaco n'aurait crié plus mal à propos : « Ça finira mal ! » L'étoile était là ! Ce qu'Étienne Poulinet mangeait et buvait, c'étaient les dots de ses six filles. Six brins magnifiques, et telles que leur père se mettait fort en colère quand on lui demandait d'y joindre la rallonge d'une dot. Il les livrait nippées, et c'était déjà bien beau ! On ne lui en laissa pas une ; toutes firent de bons mariages. Et son fils Benoni, qui s'était mis en tête de n'épouser qu'une fille noble, en eut une, s'il vous plaît, celle d'un marquis ruiné du côté de Carpentras.

La privilégiée entre les six fut la Délaïde, qui n'avait pas dépassé de beaucoup sa vingtième année, quand le quinquagénaire François Mistral l'alla chercher à Maillane pour l'amener au mas du Juge et lui donner ses clefs.

Dans les *Mémoires*, Mistral a idéalisé la première rencontre de son père et de sa mère : celle-ci doit aller glaner pour se gagner quelque ruban, et le vieux maître la remarque sur ses terres comme Booz remarque Ruth... Nous voilà sur le courant des grands mythes, des échanges normaux entre le ciel et la terre, du miracle habituel qui descend, de la nativité prédestinée qui se prépare : cela même, que, des prophètes à Victor Hugo, l'humanité a condensé dans la légende simple et souple, étoilée et fraîche, de Ruth et de Booz, le couple d'où naît la race de David, de la Vierge et de Jésus. Une nuit pastorale sert de cadre à l'insertion du divin dans l'humain, à la venue du dieu chez les laboureurs, du poète chez les paysans, de Calendal chez les pêcheurs, de sainte Estelle entre les étoiles païennes.

Sainte Estelle n'avait point élu sans de bonnes raisons la Délaïde Poulinet quand elle la conduisit chez le Booz du Mas du Juge. La famille Poulinet était une famille fantaisiste, où la cigale mordait volontiers. Greffée sur les terriens Mistral, c'était la branche des oiseaux sur le plant autochtone. Étienne Poulinet, qui fut tout de même maire de Maillane, passa dans la vie à la manière de ces poètes qui n'écrivent pas, et qui donnent du sel et du mouvement à une campagne provençale, qui achèvent un Graveson ou un Maillane en Cucugnan ou en Gigognan, en Canteperdrix ou en Pampérigouste, et que la Provence, quand elle essaye de *carreja* son soleil et ses étoiles, nous envoie sous la figure d'un Paul Arène ou d'un Clovis Hugues. Mais le vrai levain de la pâte à pain bénit, chez les Poulinet, c'était le plus jeune frère de la Délaïde, l'oncle Benoni, l'arpenteur de Maillane, brun, sec, flambant comme un sarment, danseur, musicien et *galejaire* enragé. Le galoubet de Benoni ne le quittait pas ; il faisait partie de la commune de Maillane, comme le tambour municipal, la cloche de l'église, comme plus tard la maison, le chien et le chapeau du Poète. Pas de bal, pas de sortie, pas de pèlerinage à saint Gent, nous dit le neveu, sans le galoubet et les galéjades de Benoni. Il mourut à la fin du XIXe siècle, le galoubet sur la table de nuit, qui lui servait à demander sa tisane. Et on l'enterra avec le galoubet. Ce qui fit, dit toujours son neveu, que, la nuit de ses obsèques, il sortit de sa fosse, galoubet en main, se mit à jouer une farandole, et que tous les morts se levèrent en portant leur cercueil au milieu du Grand Clos, pour faire un feu de joie, en dansant un branle fou jusqu'à l'aube. La poésie du neveu fut pour le Midi tout entier ce que le galoubet de l'oncle était pour Maillane. La Provence est sortie de sa tombe dans la grande farandole mistralienne. La voix qui entonne la *Coupo Santo* s'était essayée et aiguisée, dans le petit village des Alpilles, chez ces Poulinet qui apportaient dans la vie une nature félibréenne.

A ce point de rencontre entre la charrue et le galoubet, le fils de François et de Délaïde naquit le 8 septembre 1830, jour de la Nativité de Notre-Dame.

La Nativité de Notre-Dame ! S'il faut en croire Mistral, sa mère eût voulu, en cet honneur, l'appeler Nostradamus. Et sa vénération pour l'astrologue Michel de Nostradamus, dont il avait les Centuries chez lui, les appliquant volontiers à l'histoire du Félibrige, sa considération pour l'historien de la Provence, César de Nostradamus, tout cela lui eût fait porter avec fierté, dès le baptême, ce prénom glorieux. Malheureusement, le curé de Maillane déclara qu'il n'y avait pas de saint de ce nom-là dans le calendrier. C'est pourquoi Délaïde, ou bien François Mistral, se rabattit sur le prénom de Frédéri (le provençal ne prend pas le *c*). Le Booz du Mas du Juge pensait à un gentil petit gars de ce nom, qui portait leurs messages et faisait leurs commissions, quand lui et la Ruth de Maillane « se parlaient ». Peu après, le petit Frédéri était mort d'une insolation, comme plus tard Mireille. Ainsi, j'imagine, le mauvais sort avait été détourné du futur Frédéri, qui ne participera plus, lui, qu'aux bienfaits du Soleil, mourra au contraire d'un coup de froid : le froid, la seule maladie de l'âme, a dit M. de Tocqueville. Et puis, notez que Frédéri, comme Mistral, a sept lettres, le nombre sacré du Félibrige. Sainte Estelle était là, et surveillait tout.

Car, dites-moi, qui eût empêché les Mistral de faire comme les milliers de Méridionaux qui ont mis leur garçon sous le patronage de la Vierge en le baptisant Marius, masculin de Maria? Marius Mistral ! Les Parisiens, qui prenaient Mistral pour un pseudonyme, auraient pensé cette fois que, vraiment, il en mettait trop.

Et, qu'il eût été appelé Frédéri, ce ne fut pas une raison pour que la Vierge se désintéressât de lui ! Il publia *Mireille* le jour de la Purification. Né le jour de la Nativité, il mourut le jour de l'Annonciation. Il aimait à faire remarquer que la Vierge n'avait parlé aux Français qu'en langue d'oc, à la Salette et à Lourdes, à Maximin et à Bernadette. La vraie reine du Félibrige, c'est elle. Et la langue de Mistral, c'est la sienne.

Frédéric n'apprit à lire qu'assez tard, vers sept ou huit ans. Et voilà qui témoigne encore d'une attention particulière de sainte Estelle. La poésie, et aussi la prose, de Mistral, ce sera toujours une langue parlée, sentant le miel et les fleurs, non une langue de papier et d'encre. Et ces années trente, elle était parlée, cette langue, à un point singulier de floraison parfaite. Tout ce pays de Saint-Rémy et de Maillane, des pâtres et des gens des mas, avait conservé encore sans contamination, sans infiltration franchimande, la pure langue des ancêtres, les beaux mots du terroir provençal, frais et posés sur leur lit de carrière. Montaigne, dont l'oreille était si sensible, parle du pur, cristallin et noble gascon des montagnes, qu'il oppose au gascon abâtardi et mol de son pays périgourdin. Cette différence de qualité dans l'espace, transportons-la dans le temps. En 1835, les gens de Maillane et de Saint-Rémy, au marché du samedi à Arles, parlaient, sinon la langue de *Mireille* (est-ce qu'on parle sur les boulevards de Paris la langue de Victor Hugo?), tout au moins la langue de l'*Armana Prouvençau.* Aujourd'hui, ils parlent comme le curé Sistre, dans le poème de l'abbé Favre.

Les vrais maîtres de Mistral sont ceux-là à qui il pouvait dire, en leur dédiant *Mireille,* ce que dit La Bruyère: «Je rends au public ce qu'il m'a prêté.» *Cante que per vautre, ô pastre e gen di mas !*

Évidemment, il apprit à parler français presque en même temps qu'à parler provençal. Mais le français du petit garçon, réduit à peu de mots qu'il cherchait à tâtons, et qu'il préférait ne pas chercher, par timidité, c'était la langue qu'il parlait aux étrangers, aux messieurs et aux dames qui venaient au mas : la langue des dimanches, aussi importune que l'habit des dimanches, avec lequel on ne peut ni jouer, ni courir, ni se sentir exister.

Et le français, ce fut bientôt la langue de l'école. Frédéric n'ayant pas donné au maître maillanais des preuves suffisantes d'application, son père décida de le déraciner, comme dira Barrès, et de l'envoyer, dès sa dixième année, en pension.

Une pension aimable, heureusement, et où l'enfant eût pu être conduit derrière le galoubet de l'oncle Benoni, ou, comme les Mages, derrière sainte Estelle ! Un monsieur Donnat avait loué, sur la Montagnette, au-dessus de Tarascon, les bâtiments délabrés de l'ancienne abbaye de Frigolet pour y installer une école, où les frais d'étude se payaient, si l'on voulait, en nature, pièces de vin, consciences d'huile, saches de farine, couteaux de miel, notes de tapissier ou de camionneur, et où l'éducation consistait surtout en récréations dans le thym de la Montagnette, livrée à cette jeunesse comme un tilleul aux abeilles. On était censé y faire du latin. Le jour où Frédéric le commença officiellement, son père, gravement, conscient de ses devoirs envers la langue de Virgile, sella le vieux mulet Babache, alla en Avignon chez MM. Aubanel frères, dans la vieille maison où jouait le gamin Théodore, d'un an plus jeune que Frédéric, chargea Babache de dictionnaires, de grammaires, de *De Viris*, de rames de papier, de paquets de plumes d'oie (Frédéric en eut pour dix ans) et déboucha avec ce matériel à Saint-Michel-de-Frigolet.

Au bout d'un an, M. Donnat désespéra de joindre jamais les deux bouts, ferma sa pension, à supposer que rien fermât dans ce bienheureux plein-air, et les garçons, le baluchon sur l'épaule, ayant cueilli, en souvenir, des touffes de ce thym auquel la Montagnette était censée devoir son nom, redescendirent qui à Tarascon, qui dans son village. Frédéric avait onze ans.

Son père voulait qu'il étudiât. Il pensait en faire un homme de loi (sa première femme était la fille d'un notaire). A onze ans, l'air de la Montagnette ne vaut déjà plus rien pour un futur avocat. Il lui fallait le collège d'Avignon. Il passa d'un panier de fleurs dans un fond de puits : le pensionnat de M. Millet.

Chez M. Millet, il ne s'agissait plus de parler la langue de Maillane, mais celle de Paris. L'ordinaire de la pension, s'il en faut croire les *Mémoires*, était de carottes, qui rendent, dit-on, les enfants jolis, mais qui donnèrent à Frédéric des fièvres, dont sa mère le guérit en le conduisant en pèlerinage à saint Gent. Le séjour dans la boîte obscure de M. Millet eût été marqué d'un caillou noir, si M. Millet n'eût été de Caderousse. Et, pour un bon Provençal, le village de Caderousse se trouve immortalisé par le poème de l'abbé Favre, ce dont Millet concevait un patriotique orgueil. Il en récitait des morceaux en classe, et, quand on expliquait l'*Énéide*, il disait que Virgile, c'était bien, mais que l'abbé Favre et la Muse provençale lui serraient de près les talons. Assentiment sur les bancs, surtout du côté de Frédéri : les exploits de Lafeuillade dans le *Siège de Caderousse* passionnaient un gars de Maillane autant et plus que ceux de Mezence et de Camille.

Ce n'était pourtant pas au pensionnat de M. Millet qu'était réservé l'honneur de servir de berceau au Félibrige. Le berceau était alors à Nyons, où un Carpentrassien, M. Dupuy, gérait une école dont plusieurs maîtres courtisaient la Muse provençale, particulièrement le Petit Chose de la maison, qui s'appelait Joseph Roumanille.

M. Dupuy, ayant transporté son pensionnat en Avignon, afin que les élèves pussent suivre les cours d'un collège royal, Frédéric Mistral y entra. Ses études au collège furent régulières, excellentes, couronnées de lauriers aux distributions de prix. Ce qui ne veut pas dire que le Maillanais tenait le collège d'Avignon pour un paradis.

Loin de là. Un paysan, comme l'était Frédéric, souffre des brocards de la ville. Des Parisiens, en 1859, s'étonnèrent qu'il ne fût pas un pâtre. Cet étonnement, ses camarades d'Avignon, en 1845, ne le partageaient pas. Ni ses professeurs. Il se révélait bien rural ! Au collège, un rural est moqué. Maillane, modeste trou, servait de plastron aux urbains. Et surtout le provençal était méprisé. C'était le « patois ». Si on vient au collège, c'est pour le désapprendre. Même lors du triomphe de *Mireille*, le comte et comtadin Armand de Pontmartin dira : « Quel dommage qu'un si beau poème soit écrit dans la langue de nos domestiques ! » Alors jugez si, avant *Mireille*, dans Avignon...

De cela, Mistral souffrit. Il tenait à sa terre, à sa famille, à leur langue, fortement. Il se connut humilié, comme les lycéens des *Déracinés*. Il vit parfois ses professeurs de l'œil dont les petits Messins voient M. Asmus.

Pensez, alors, quel rafraîchissement et

quel soutien fut pour lui la scène, maintenant célèbre, de l'église des Carmes d'Avignon ! On a conduit les élèves à vêpres. Frédéric, pour qui parler provençal, et surtout rimer en provençal, représentait une évasion, une libération, griffonne sur son paroissien une traduction en sa langue maternelle du psaume que l'on chantait. Le maître d'études le surveille, s'approche, confisque le papier, le passe à M. Dupuy.

Le maître d'études est Joseph Roumanille, qui, depuis plusieurs années déjà, envoie des vers provençaux aux journaux du pays, et qui, cette année même, publie les *Margarideto. O Mantovano !* Après les vêpres, c'est la promenade, la promenade des élèves autour des remparts. Le maître d'études s'approche de Frédéric : « Alors, comme cela, Mistral, vous faites des vers provençaux ! » Et Frédéric, de moins en moins timide, en récite. Roumanille en dit des siens. Nous songeons à la rencontre mythique de Ronsard et de Du Bellay dans l'hôtellerie. Quand on rentre de promenade, la première chaîne de l'amitié félibréenne est fondée : c'est-à-dire le Félibrige, puisque le Félibrige est d'abord une amitié.

La première, ou la seconde. Un jour de l'année d'avant, un garçon de Chateauneuf-du-Pape, du nom d'Anselme Mathieu, était arrivé à la pension Dupuy. Mais il n'avait rien d'un grand cru scolaire. Il fit ses classes sur les toits, déjà bon matou, ou qui s'en vantait, contant fleurette, et fleur, et peut-être fruit, aux chambrières, candidat au titre de Félibre des Baisers, qu'il prendra dans l'*Armana*. Enfin, des sept félibres de la Loi, en voici déjà trois chez M. Dupuy. Sainte Estelle se lève à l'horizon. Allons toujours et nous verrons Berre !

CHAPITRE DEUXIÈME

Les études de Mistral à Avignon se terminèrent par un baccalauréat, passé à Nîmes. Il en revint, très fier, à Maillane, et n'eût pas donné sa place pour celle de Louis-Philippe. Avec raison d'ailleurs, car on était en 1848, et les écus allaient encore changer de portrait. Le moment où ils prennent une tête neuve est celui où on cesse de les voir, où ils ne circulent plus, où les vieux se cachent, où ne paraissent guère les nouveaux, où tout va mal, où le rural tend son poing vers le maudit Paris.

Le rural à la manière de François Mistral, mais non le jeune bachelier. Un paysan qui a soixante-quinze ans en 1848, un poète qui a dix-huit ans en 1848, même, et surtout, s'ils sont père et fils, ne voient pas le monde avec les mêmes yeux. 1848 trouva à Maillane, comme on dirait aujourd'hui, le père de droite et le fils de gauche.

Cette plaine d'entre Rhône et Durance, qui est encore royaliste, l'était à plus forte raison en 1848. Cela n'empêchait pas qu'il y eût des rouges, et des rouges d'autant plus rouges que les blancs étaient plus blancs : le climat ne porte point aux nuances intermédiaires. Les vieux se souvenaient des deux Terreurs, la rouge et la blanche. En 1793, l'église de Maillane, avec un curé apostat, était devenue un temple de la Raison, et l'on voyait encore, en 1848, la vieille Ridelle, qui, autrefois, à dix-huit ans, bonnet rouge sur la tête et rien sur le sein, avait fait une si belle déesse, sur une *Montagne* symbolique de terre, qui remplaçait l'autel. Quand le vent avait tourné, à la chute de Robespierre, on avait mis les Jacobins au château de Tarascon, d'où les modérés, comme ils s'appelaient, les jetèrent à l'eau au cri traditionnel : *Zou! au Rose!* Pensez si la Révolution de 1848 avait réveillé ces ferments, si le rouge rougeoyait, si le blanc sortait agressivement de la lessive

pu blanc encaro
Que la tafo de la nèu.

Les Mistral étaient blancs, comme ils le sont encore. Sans fanatisme, d'ailleurs, et le bon sens du septuagénaire, au Mas du Juge, reconnaissait qu'il y avait du bien et du mal dans tous les partis, dans tous les régimes ; il avait d'ailleurs été soldat de la République, et il avait eu, dans sa jeunesse, à souffrir des nobles. Mais il tenait aux traditions. Il s'était enrichi dans les trente ans de paix et de prospérité qui avaient suivi le retour des Bourbons. Un propriétaire *ufanous coume un rei*, un « ménager » de Maillane, roi chez lui comme le roi en France, demeurait fidèle au roi. Il en était de même de son fils du premier lit, âgé d'une quarantaine d'années.

Alors, jugez de l'émoi qui agita le Mas du Juge quand un journal républicain d'Avignon publia ces vers français du bachelier Frédéric, le garçon qui avait étudié, et dont son père montrait avec fierté le diplôme encadré, les vieux lauriers derrière les casseroles de la cheminée :

Réveillez-vous, enfants de la Gironde,
Et tressaillez dans vos sépulcres froids,
La liberté va rajeunir le monde.
Guerre éternelle entre nous et les rois !

Allait-il, le gars, décrocher le fusil à pierre du siège de Toulon, sauver Rome, la Pologne, faire rendre gorge à l'Autriche? Dans toute la France, cette tarasconite sévissait.

Comment donc le fils de maître François, le jeune ami, déjà, de ce Joseph Roumanille qui allait mener le combat contre les rouges dans la *Commune* royaliste d'Avignon, en venait-il à se faire traiter, par ses concitoyens blancs, de peau retournée, ce qui veut dire, au pays de Jean de Gonfaron, renégat?

Simplement, le Poète. Au Mas du Juge, Frédéric n'est pas, comme les deux aînés, un Mistral de la vieille souche. Il est le fils de la mère tard venue, des fantaisistes et des joueurs de galoubet, un Poulinet. Le Poulinet dans son pré fait acte d'indépendance. Les Poulinet vont-ils alors à la République? La branche des oiseaux est-elle un rameau de pommes rouges? Je ne sais. Mais il m'étonnerait que le chant patriotique de Frédéric n'eût pas été essayé sur le galoubet de l'oncle Benoni.

Le galoubet de l'oncle à Maillane, et, à Paris, la lyre! Quelle lyre? Lamartine! Que parlions-nous de Tarascon, quand nous sommes dans la Thèbes d'Amphion, sous la dictature de la musique! Trois mois, la France fut gouvernée par un poète, comme un jour le ciel fut porté sur l'épaule d'Hercule. « Aux premières proclamations signées et illustrées du nom de Lamartine, dit Mistral, mon lyrisme bondit... » Le futur auteur de *Mireille*, à dix-huit ans, voudriez-vous qu'il ne fût pas de cette République? Une République déjà félibréenne, et qui ressemble à celle dont Mistral tracera l'idéal, en 1887, à la Sainte-Estelle de Cannes. C'est la musique qui passe!

Il est vrai qu'elle passa bruyamment. Les fêtes du carnaval, en 1848, suivirent de quelques jours la proclamation de la République : bonne rencontre pour les mauvais plaisants! Ce jour-là, Frédéric s'en alla avec quelques républicains entonner *la Marseillaise*, puis, comme c'était l'usage, faire la quête aux œufs pour manger, entre jeunes gens, l'omelette au lard. Cette fois, la quête aux œufs fut politique, et s'accompagna, non des vieilles ritournelles provençales, mais de refrains pour et contre Henri V. Quand les rouges eurent mangé l'omelette, vidé bouteilles, ils parcoururent Maillane, chantèrent la

Ferigoulo, chanson avignonnaise du parti, déployèrent le drapeau rouge, je veux dire leur ceinture, et brûlèrent *Carmentrant*, au cri de *Vive Marianne!* Pas moins!

Qui ne fut pas content? Maître François. Et qui, sachant ce qui l'attendait, tarda le lendemain à se lever? Le vieillard, avec sa figure des jours sérieux, mena son fils à l'écart : que lui avaient fait ces pauvres rois contre lesquels il avait écrit une chanson? (à quoi le bachelier avoue n'avoir su que répondre) ; un compatriote, M. Durand de Maillane, qui avait présidé la Convention, n'avait-il pas, en 1793, prédit devant lui que les Français payeraient par des millions de têtes celles de leurs rois? Ce que les vingt-cinq ans de boucherie confirmèrent. Il avouait d'ailleurs avoir connu de mauvais nobles. Et son fils le fit convenir qu'il y avait de bons républicains, puisque la République était gouvernée par l'astronome Arago et le poète Lamartine. Un astronome? Un poète? Enfin... Quoi qu'il en soit, Frédéric s'abstint désormais de ces manifestations. Mais il resta peut-être républicain plus longtemps qu'il ne le laisse entendre.

Il le fut même un peu toute sa vie. Plus tard, officiellement, il se tint à Maillane, par vénération pour la mémoire de son père, par goût de la tradition, par amitié pour d'honnêtes gens, du côté politique où sa famille formait bloc. C'est au café des royalistes qu'il alla faire sa partie : il figurait sur leur liste aux élections municipales, fut même de la Ligue de la Patrie française. Mais il attacha peu d'importance aux clans politiques. Son fond demeure lamartinien ; une partie de la flamme félibréenne est prise à ce feu.

Républicain de 1848 peut-être bien à la manière du Carpentrassien Taxile Delord, député de Vaucluse après 1870, qui, se promenant un jour avec Mistral sur la place de l'Horloge en Avignon, lui disait :

« La gaffe la plus prodigieuse qui se soit jamais faite dans le parti avancé fut la Révolution de 1848. Nous avions au gouvernement une belle famille, française, nationale, libérale entre toutes et compromise même avec la Révolution, sous les auspices de laquelle on pouvait obtenir, sans trouble, toutes les libertés que le progrès comporte... Et nous l'avons bannie. Pourquoi? Pour faire place à ce bas Empire qui a mis la France en débâcle. »

C'est le bon sens même (bien que Mistral ait été, au moins un jour, poète officiel sous l'Empire) ? Le malheur, en politique, est que, de la République de Lamartine et de la royauté de Louis-Philippe, l'une exclut l'autre, et qu'il fallait choisir entre les deux, tandis qu'en littérature, Voltaire et Rousseau, Stendhal et Victor Hugo, malgré leur contraste et leur inimitié mutuelle, nous les gardons les uns et les autres. Tâchons qu'un biais nous permette de porter dans la politique, cette cadette, la ligne serpentine et compréhensive de la poésie, son aînée !

Cette année 1848, quand le printemps vint, quand la lune de miel de la Révolution fut obscurcie par des nuages et du sang, quand, le carnaval passé, les cloches de Pâques, les fêtes des Rogations, les feux de la Saint-Jean marquèrent dans l'année rurale des traits plus ensoleillés que le brûlement de *Carmentrant* et les couplets sur Henri V, Frédéric, en montant vers les beaux jours, retrouva, vive et pure, la poésie. Certes son élan va par étapes régulières, comme les travaux des champs, et ce n'est pas au mois de mai qu'il faut demander les raisins mûrs. Mistral tient alors à peu près entier dans le vers où l'auteur des *Géorgiques chrétiennes* évoque un de ses obscurs amis :

Ce fils de paysan qui était bachelier,

et qui, le dimanche, chez son père, lit Virgile. Il ne suffit pas à Frédéric de le lire, il l'imite. Cet été de 1848 donc, il écrit une manière de *Géorgiques* provençales, *les Moissonneurs*, qui n'ont été publiés que récemment. Mistral, en les laissant dormir dans ses papiers, savait bien que sainte Estelle voudrait les faire sortir au bon moment. Nous les avons lus quand le cycle intelligent des siècles a réuni dans la même année le deuxième millénaire de Virgile et le premier centenaire de Mistral. Mistral, dans sa vieillesse, s'émerveille de voir qu'une plante d'acanthe est venue fleurir spontanément dans son jardin autour de l'acanthe de marbre d'un chapiteau romain : la rencontre de Mistral et de Virgile, évidemment, pour qui entend la langue de sainte Estelle !

« Si, naturellement, comme tout poète qui naît, j'ai respiré le parfum de toutes les fleurs poétiques qui, de mon temps, s'épanouissaient, ce n'est que chez les anciens, Homère, Théocrite, Virgile, peu ou prou, que je veux retrouver les sources où, inconscient, je m'abreuvais. C'est la comparaison de la vie provençale, telle que je la voyais autour de moi, dans nos champs, avec la vie antique décrite par les vieux poètes, qui me donna l'idée de chanter dans notre langue la poésie de la France. Cette noble ressemblance me sauta tellement aux yeux que, à l'âge de dix-huit ans, j'avais déjà bâti un poème... »

Août 1847 à octobre 1848, c'est la première année que Mistral passe entièrement au Mas depuis son entrée au collège. En novembre, son père l'envoie à Aix faire son droit. François Mistral avait eu pour première femme la fille d'un notaire. Sa fille Marie a épousé un homme de loi, l'avocat Ferrand. Et il avait voulu que son fils aîné, Louis, fût clerc deux ans à Tarascon. Frédéric, qui est bachelier, doit devenir au moins licencié en droit. Nous sommes, comme dirait M. Paul Bourget, dans une famille à étape : le passage de la terre à l'étude, ici l'étude de notaire, la vraie promotion rurale. Mais plus tard, quand le père aura besoin de Frédéric, au Mas, pour un travail urgent, et qu'il demandera à la mère : « Où est-il ? — Il étudie ! — Alors, laisse-le ! » Et c'était sous un arbre, pour chercher des rimes, que ce jour-là Frédéric installait son étude. Son père voulait des hommes de loi dans la famille. Frédéric fut le premier des sept félibres de la Loi. En sainte Estelle, tout s'arrange.

CHAPITRE TROISIÈME

MISTRAL passa trois ans à Aix. Quelques pages des *Mémoires* présentent un tableau, un peu arrangé, de la vie aixoise, en 1850, avec ses magistrats de belle humeur, ses vieilles dames en chaise à porteurs, ses processions de la Fête-Dieu, ses sermons en provençal, sa noblesse pittoresque, M. Mignet qui revient tous les ans jouer à la boule et manger de la brandade, les aventures d'amour d'Anselme Mathieu, et la vie estudiantine d'Aix, restée jusqu'à la fin du XIXe siècle assez savoureuse et pas trop gâtée par Paris. Mistral se conduisit en garçon sérieux, travailla avec égalité, docilité et bonne humeur. Car il n'eut jamais rien d'un gâcheur de besogne. Sans que l'un portât tort à l'autre, il fit ses études, et il fit des vers, autant français que provençaux.

Il ne faut pas du tout l'imaginer, à vingt

ans, féru du vieux décor et des franchises provençales, portant au cœur une flamme mystique pour la Comtesse. Cela viendra plus tard. Pour le moment, il est bon étudiant, étudiant républicain, car, dans la ville où foisonne et se donne rendez-vous la noblesse provençale, les étudiants, plus encore que les garçons de Maillane, sont divisés en républicains et royalistes. Tout le monde a connu Mistral, jusqu'à son dernier jour, inséparable de ce large chapeau noir ou gris, qu'on fabriquait spécialement pour lui à Anduze, et dont chaque année une délégation d'ouvriers lui apportait un exemplaire neuf. C'est le pétase antique, disait-il, celui du bon peuple méditerranéen, celui que portent au retour d'un voyage Oreste et Pylade, et dont Callimaque a décrit les larges bords, pour la gloire de M. Patin. Eh ! non. Le chapeau large qui coiffait alors une tête classée, non seulement par les Anglais dans les monuments historiques de la Provence, mais, par plusieurs bons esprits politiques, dans le parti réactionnaire, était tout simplement le chapeau porté, après 1848, par les étudiants républicains d'Aix, qui leur servait de signe de ralliement, comme la *Ferigoulo* aux républicains d'Avignon, qui les désignait, après 1851, aux rigueurs des sbires, et que l'on vit à la tête (ou sur la tête) des insurgés du Var. Le républicain Mistral conçut contre le coup d'État l'indignation qui convenait à un feutre large, et il l'appelle dans ses *Mémoires* : « Le crime d'un gouvernement qui déchirait la loi jurée par lui. »

Cette année 1851, il passe ses cinq thèses de licence, l'une en latin, sur le droit romain, *De Peculis* ; quatre en français : *De l'extinction des privilèges et hypothèques et de la Purge* (droit civil), *De la compétence des Juges de Paix* (procédure civile), *Des navires et de leur nature* (droit commercial), *De l'Autorité administrative en général* (droit administratif). Thèses est un bien gros mot : ce sont des mémoires de quelques pages plus ou moins inspirés d'un cours ou d'un manuel, et auxquels je n'aurais pas même fait allusion si, l'autre jour, à l'*Arbaudenco*, feuilletant le manuscrit préparé par Mistral pour l'impression (il n'en reste pas trois exemplaires imprimés), je ne m'étais frotté les yeux, en lisant ces lignes de la thèse de droit administratif, éberlué comme Pascalon, quand il voit dans la cuisine de l'hôtel le chamois qui se chauffe.

« L'effort constant de tous les régimes qui se sont succédé en France a été la création de cette unité puissante, qui fait aujourd'hui la force et l'orgueil de notre nation. Mais, si nous voyons se réaliser sous nos yeux ce rêve de tous les hommes éclairés, c'est à la glorieuse et féconde Révolution de 1789 que nous devons principalement en savoir gré. »

Évidemment, il y a des objections. Il faut voir comment le candidat les foudroie.

« Oui, sans doute, la centralisation nuit considérablement à l'indépendance locale, mais, disons-le, au grand avantage de la liberté générale. Les libertés locales n'étaient favorables qu'aux petites rivalités, qu'aux influences de famille, de sang et de richesse, et, d'autre part, elle était une entrave à la grande liberté. La liberté générale, au contraire, en abaissant sous le niveau commun toutes ces ambitions ridicules, a fait converger vers un but unique tous les vœux d'un grand peuple. »

Outre ! C'est de l'année du coup d'État. Et quand Mistral nous dit de ce coup : « Il m'indigna, car il fauchait toutes mes illusions sur les fédérations futures dont la République, en France, pouvait être le couvain », on voit bien que c'est après un demi-siècle, pendant lequel le poète a oublié et appris bien des choses.

Alors? Mon Dieu, n'exagérons pas. Un étudiant en droit connaît les marottes de ses professeurs, comme un étudiant en médecine, et il leur dit à l'examen ce qu'il faut dire pour avoir une boule blanche. Pas plus! A vingt et un ans, Mistral n'a pas encore réfléchi sur ces questions. Le fédéralisme lui est indifférent. Ce sera plus tard, à Aix, une doctrine de blanc, et Mistral est sinon rouge du moins tricolore. Notez d'ailleurs que Lamartine, le père spirituel de Mistral en politique avant de l'être en poésie, a professé dans ses discours le centralisme le plus intransigeant.

Si ces idées de Mistral sont des idées républicaines, et, comme on dit, avancées, n'en prenez pas ombrage, lecteur, au cas où vous seriez de droite : car le berceau de l'idée félibréenne et mistralienne, à cette heure, il est tout de même de votre côté, et non à Aix, mais en Avignon, où nous avons laissé en 1848 Roumanille maître d'études à l'institution Dupuy, et bien content de la lettre par laquelle son ami Frédéric lui annonce qu'il vient d'être reçu bachelier. On pensera que conduire des gamins à la promenade ne faisait point le terme des ambitions d'un jeune poète plein d'allant. Aussi, pendant que Mistral, à Aix, arbore le feutre gris dans les cafés républicains, Roumanille est entré à l'imprimerie Seguin, comme correcteur des livres latins, les gros livres pour bibliothèques de prêtres, spécialité d'Avignon. Et franc catholique, bon royaliste, vrai blanc du Midi, il écrit régulièrement dans la *Commune*, le journal des blancs. Il vient de publier un recueil de vers provençaux, *li Margarideto*, et il y a à peine de l'exagération à dire que ses dialogues polémiques de la *Commune*, la *Ferigoulo*, *li Capelan*, fondent la prose provençale, même la prose franco-provençale, celle de l'*Armana*, celle de Daudet et d'Arène : un Paul-Louis Courier d'oc, avec moins d'art et aussi moins d'huile. Dans le monde catholique d'Avignon, de jeunes poètes provençaux paraissent, pleins d'enthousiasme, derrière Roumanille, qu'ils ont pour aîné et pour guide. C'est Aubanel, qui n'a qu'un an de plus que Mistral; c'est Giéra, c'est Cassan; Roumanille correspond avec les précurseurs marseillais, Bellot, Bénédit, Bourilly, avec le Cavaillonnais Castil-Blaze, Crousillat de Salon, et, bien entendu, son élève de 1847, qui, entre deux cours, continue à rimer dans la bonne langue. De là l'idée de Roumanille, imprimer un recueil collectif de vers provençaux par les jeunes, les amis, les aînés, faire la traouée en commun. Et ce seront les *Provençales*.

CHAPITRE QUATRIÈME

En avril 1851, Mistral, licencié en droit, revenu au Mas du Juge, s'était décidé à y rester, à passer, jusqu'à nouvelle idée, son temps en famille, en faisant des vers. Son père, qui atteignait bientôt ses quatre-vingts ans, et qui allait perdre la vue, n'était pas fâché que son fils habitât près de lui, que la mort le trouvât entre tous les siens. Frédéric s'occupa plus ou moins au mas, mais la vocation de propriétaire rural lui manquait; il suivait la pousse des rimes plus que celle des blés, et ni son père ni son frère ne le dérangeaient de son travail.

Pas d'autre affaire pour lui, donc, que la poésie provençale à mettre debout ; il a dramatisé un peu, pour un bas-relief de son monument futur, et de la manière la plus permise à un disciple de Lamartine, cette heure du retour où il a juste vingt et un ans, et où, dit-il, « le pied sur le seuil du mas paternel, les yeux vers les Alpilles, en moi et de moi-même je pris la résolution : premièrement, de relever, de raviver en Provence le sentiment de race que je voyais s'annihiler par l'éducation fausse et antinaturelle de toutes les écoles ; secondement, de provoquer cette résurrection par la restauration de la langue naturelle et historique du pays, à laquelle les écoles font toutes une guerre à mort ; troisièmement, de rendre la vogue au provençal, par l'influx et la flamme de la divine poésie ». Ce sentiment de la race méridionale à relever, si puissant chez tels Languedociens comme Rochegude et Peyrat, n'apparaît qu'accessoirement dans le mouvement avignonnais et pré-félibréen, celui que dirige Roumanille, et il n'animera vraiment Mistral qu'après le succès de *Mireille*. Pour le moment, il ne s'agissait que de trouver un public pour des vers provençaux, de se faire imprimer et connaître.

Les *Provençales* parurent d'abord dans la *Commune*, d'Avignon, afin d'épargner sur les frais de composition. Mais les abonnés se plaignirent, et il y eut de nombreux désabonnements. Roumanille paya avec ses économies l'impression de ce livre de quatre cents pages, auquel un professeur de Montpellier, Saint-René Taillandier, avait donné une préface courtoise. Il y avait dix pièces de Mistral, dont la première et la dernière du recueil. Ce fut lui que la critique remarqua le plus. Taillandier, qui ne le connaissait pas encore, vit en lui, sur ses vers, le chef futur de l'école provençale. La presse de Paris parla avec éloge des *Provençales*; *l'Illustration* publia les portraits des auteurs, par Laurens. Et si Taxile Delord les blagua dans le *Charivari*, c'est que Delord était de Carpentras, et que la guerre d'Avignon et de Carpentras ne s'éteindra jamais.

Les *Provençales* eurent un succès à Paris et à Marseille, bien que Jasmin, alors le chef de la poésie d'oc, qui montra toujours un mauvais vouloir jaloux envers le mouvement d'Avignon, n'eût jamais consenti à répondre une ligne à Roumanille, et que Sainte-Beuve, à qui Aubanel demanda s'il avait reçu le livre, lui eût écrit la lettre la plus insolente. Roumanille songea à un second recueil de *Provençales*. Mais, écrit-il à Gaut cette même année 1852, « Mistral et Aubanel répondirent que les *Provençales* étaient faites, et qu'à entamer quelque chose, il fallait entamer quelque chose de plus sérieux, de plus important. En effet, nous n'en sommes plus à l'élégie, au sonnet, à la ballade, toutes choses dont nous foisonnons, passez-moi le mot : *paulo majora canamus!* Mistral a sur le métier un poème en stances comme les poèmes italiens, et dont il vient d'achever le quatrième chant. C'est admirable! Glaup (Giera), qui ne manque pas de bonne volonté, mais qui a beaucoup d'affaires sur les bras et peu de santé, rêve d'un poème héroï-comique, qui absorbe le peu d'instants qu'il peut consacrer au culte de la Muse; le soussigné lui-même, tout chargé d'épreuves qu'il est, a déjà écrit un petit poème, qui, je vous l'ai dit, est sous presse : *li Sounjarello*; au lieu de gaspiller désormais le peu d'inspiration qui pourra lui venir, il la consacrera, non au sonnet, à l'élégie, etc., mais à des choses plus étendues. Et puis, dans deux ou trois ans, quand les *Provençales* auront fait leur temps, Mistral publiera son poème; Reybaud, ses *Sylphes*; Aubanel, sa tragédie;

Glaup, son *passeroun que s'encagno* (je vous dis tous nos sujets); et moi, deux ou trois petits poèmes. »

Ainsi Mistral, rentré depuis un an au Mas du Juge, âgé de vingt-deux ans, deviné par Taillandier comme le vrai chef du groupe, en prend la tête, de l'allure dont Du Bellay écrit la *Défense* et dont Ronsard prépare les *Odes.* Lui aussi entend ne pas s'attarder, ni que ses camarades s'attardent aux « épisseries ». Il faut attaquer les grandes tâches. Quatre chants de *Mireille* sont écrits, de la première *Mireille,* refondue les années suivantes, et pendant que Mistral instituera l'épopée, que Glaup donnera un pendant au *Siège de Caderousse,* Aubanel, qui a pris pour lui le théâtre, fera sa tragédie provençale. Il y mit, à vrai dire, un peu plus longtemps ; Glaup lâcha, et l'abbé Favre du XIXe siècle devait être Roumanille avec la *Campano mountado.* Mais les buts sont marqués, et Roumanille s'est rangé sans hésiter à l'avis de son cadet, dont le *paulo majora* n'est pas une parole en l'air, puisque quatre chants de *Mireille* l'appuient.

Ce n'est pas tout. Il faut au provençal

une orthographe. Il faut que l'écriture satisfasse aux besoins d'une langue qu'on veut littéraire, d'une poésie qu'on exige élevée. Chacun orthographie jusqu'ici comme il veut, et les *Provençales* elles-mêmes laissent sur ce point à désirer. « La question de l'orthographe, écrit Roumanille, est le ver rongeur de notre littérature. » Voilà une question à résoudre dans des réunions, des congrès, des banquets. Celle-là et d'autres. Les poètes français sont réunis à Paris sur une ou deux lieues carrées et se voient quand ils veulent. Mais Avignon, Arles, Carpentras, Salon, Cavaillon, Maillane, Aix ne se touchent pas. Il faut des rencontres périodiques. D'où le premier congrès, celui d'Arles, le 29 avril 1852, dans la salle de l'ancien archevêché. On s'y vit, on y prit contact, on y mangea, on y but, on y chanta, pas grand'chose de plus : déjà une félibrée.

Il y avait alors deux grands noms dans la poésie du Midi, Gelu, de Marseille, et Jasmin, d'Agen. Gelu avait consenti à venir, et, chantant au dessert, en bras de chemise, une de ses farouches chansons (les vraies *Marseillaises*), il avait soulevé l'enthousiasme. On ne le reverra plus chez les Avignonnais : le rude poète du port, du peuple et du patois, se défera de tous liens avec ces bourgeois à orthographe et leur poésie soignée. Pour Jasmin, ce fut bien pis. Le coiffeur d'Agen; qui avait connu tous les triomphes, reçu une couronne d'or, obtenu l'audience de Louis-Philippe aux Tuileries, entendait que la poésie d'oc tînt dans son plat à barbe. De Mistral il avait laissé autrefois tomber, sans accusé de réception, une lettre enthousiaste, écrite au lycée ; de *Mireille*, il dira que de ces sujets il en a à foison dans son arrière-boutique.

Quand Moquin-Tandon l'invite au congrès d'Arles, il lui répond : « Puisque vous allez à Arles, dites-leur qu'ils auront beau se réunir quarante et cent, jamais ils ne feront le bruit que j'ai fait tout seul. »

On se souvient, dans *Mireille*, de la course où Lagalante, le vieux coureur, est vaincu par le Cri de Mouriès. Il va s'asseoir en pleurant dans un coin. Quand le Cri l'invite à venir boire le prix, il arrache son caleçon à sonnaille et le lui tend : « Toi, Cri, la jeunesse te pare, tu peux avec honneur porter les braies du plus fort ! » puis disparaît dans la foule, et personne ne le revoit aux fêtes. La préface de Saint-René Taillandier aux *Provençales* désignait le jeune Mistral comme le Cri de Mouriès des rencontres poétiques. Jasmin eut un départ moins noble que Lagalante. En 1848, ayant pris à Avignon le nom de Roumanille pour le nom d'un mort, celui-ci lui répondit : « Je suis encore assez jeune pour faire votre épitaphe. » Mais c'est Mistral qui la fit, quand, en 1886, Agen inaugura la statue de Jasmin, et que, devant le vieux rival il salua, en vers éclatants, un précurseur : « Jasmin, tu nous as vengés ! »

Des réunions comme celle d'Arles, et non seulement les contacts entre les poètes, mais les contacts avec le peuple, étaient, pour une autre raison encore, plus nécessaires à cette poésie qu'à la poésie française. Il ne lui fallait pas seulement des lecteurs, mais des auditeurs. « On ne lit pas les vers provençaux, écrit Roumanille à Gaut quelques jours avant le Congrès d'Arles, parce qu'on ne sait pas lire. » Jasmin, avec ses voyages, ses récitations sur le théâtre, ses couronnes, sa vanité, son étalage, a montré tout de même la voie :

« Pour réhabiliter aux yeux de nos bons provinciaux leur littérature, leur poésie, il faudrait que des hommes de talent et d'inspiration prissent le parti qu'a pris depuis longtemps la Muse gasconne. Il faudrait dire au public : Voici la Muse de Provence, écoutez-la. Et l'on applaudirait, j'en suis sûr. » Lui-même en a fait l'expérience à la Société de la Foi. Il a débité des poèmes devant l'aristocratie d'Avignon, ceux-là qui se désabonnaient de la *Commune* parce qu'elle publiait des vers. Et il a été applaudi ; il a eu, dit-il, des séances splendides.

Quand nous verrons Mistral et le Félibrige organiser leur *estrambord*, leurs sorties, leurs fanfares, — leurs banquets, leurs récitations, leurs félibrées, — tout le culte public de sainte Estelle, multiplier en cavalcade le char et l'estrade de Jasmin, reconnaissons-y l'oxygène nécessaire d'une poésie que, dès le début, Roumanille a voulue populaire, écoutée et vue : non seulement affaire de *regardello*, mais, dirait-on, d'*escoutello*. Ne jugeons pas cette atmosphère poétique du point de vue livresque, qui s'est imposé peu à peu à notre poésie d'oïl, un homme devant un livre, *libellus in angello.* Ce n'est pas d'être entrés dans cette voie qu'il faut reprendre les Provençaux. C'est de ne s'y être engagés qu'à moitié, ou bien de n'y avoir été suivis qu'à moitié, d'être malgré tout retombés dans l'écrit, d'avoir abandonné cette parole bruissante et ce plein air, qui avaient nourri et activé un moment la poésie de Roumanille et de Mistral. Dès 1852, le bon sens de Roumanille met le doigt sur la question vitale : il ne s'agit pas seulement que les poètes de Provence sachent faire les vers provençaux, il s'agit aussi que le peuple de Provence puisse les lire, les entendre, les aimer, les vivre ; que la Grèce provençale trouve ses rhapsodes et ses panégyries.

On recommença donc à Aix l'année suivante, et l'on donna à l'assemblée un beau nom. On l'appela *lou Roumavagi di Troubaire* : à la fois pèlerinage et festival. Ce fut le 21 août 1853, dans la grande salle de la mairie, pavoisée aux couleurs de Provence, par une chaleur écrasante, où, pendant des heures, des poètes se succédèrent sur l'estrade. On en mit trop. La *Mort du Moissonneur*, déclamée par Mistral, fut noyée, fit peu d'effet. Le plus grand succès fut pour la poésie populaire et chantée : Roumanille, avec la *Jeune Aveugle*, simple romance, surtout la chanson d'un paysan de Châteauneuf-de-Gadagne, Tavan, et celle d'un maçon, Lacroix. Il y avait dans la salle un garçon de quinze ans qui s'appelait Emile Zola. Le maire et député d'Aix présidait. La fête, organisée par le poète aixois Gaut, réussit mieux par l'*estrambord* du banquet qui suivit les récitations que par le long défilé des poètes. De cette réunion, qui précède d'un an Fontségugne, on retiendra deux amorces de l'avenir mistralien.

D'abord, pour la première fois, dans la vieille capitale de la Provence, les poètes provençaux sont reçus officiellement, et l'on sait combien Mistral tint toujours à ces manifestations élargies, à cet accord avec l'officiel (trop selon certains). Dès cette époque, c'est sa politique. Avant le congrès d'Aix, il écrit à Aubanel que s'il est fait avec accord, « il attirera nécessairement l'attention des indifférents sur la langue de leur pays, il nous assurera la sympathie et l'appui de tous les artistes, des gens de lettres, et peut-être des gouvernants ». Il faut viser haut, voir large, chercher à la manière de Jasmin le bruit, un bruit de bon aloi comme celui des cloches. Au contraire, ajoute-t-il, toute discussion grammaticale troublerait l'accord et « transformerait un concours de poètes en académie provinciale, chose très peu amusante et très peu intéressante pour les gens de goût ». A plus forte raison de la question politique, fédéraliste, de tout ce qui deviendra, plus tard, revendication de la race, n'est-il pas question. Mistral, en ce temps-là, n'y a point encore pensé précisément.

Et puis, le *Roumavagi* s'était ouvert par un salut en vers français de Brizeux. Par son barde; la Bretagne vibrait sympathiquement avec la Provence traditionnelle; les analogies, les aspirations des deux pays contrastés, déjà prenaient une voix. Le temps arrivera où l'équilibre du breton et du provençal, de la Bretagne et de la Provence, deviendra lieu commun, où feront couple Renan et Mistral, Quellien et Mariéton, le Dîner celtique et les Félibres de Paris, la duchesse Anne et la reine Jeanne, le biniou et le tambourin.

Et d'Avignon, d'Arles, d'Aix, Mistral rentrait au Mas du Juge. A la table de pierre qui réunissait le maître, la famille et les ouvriers, par les chemins de gelée blanche ou de soleil, par les champs verts ou blonds, entre les propos des paysans, la vie du mas, les filles bises aux yeux d'olive noire, ce grand gars décidé et sérieux de vingt-quatre ans, strophe à strophe, poursuivait sa *Mireille*. Les premiers vers, ceux qu'il lança, dit-il, dès la première soirée de son retour d'Aix, ont mis la boule au caniveau. Il suit la fille de Provence.

Il la suit sept ans. En 1853, la moitié du poème est écrite, quitte à être reprise et revisée. Non seulement le poème se construit, mais la langue. Il jette, comme Ronsard, son filet sur les beaux mots, les recueillant à la source, interrogeant paysans et bergers sur les vrais noms expressifs et purs des animaux, des plantes, des moments, des mouvements de la nature. La fille de Provence, elle n'est point un corps qui s'anime dans ses bras, elle est une langue et une poésie qui se forment dans une âme, où le rythme coule comme l'onde d'un jeune sang, où le muscle dense et le mouvement des octosyllabes épanouissent, dans l'alexandrin, un rire vif, un regard enveloppant, une étreinte refermée.

Les jours de la semaine appartenaient à la poésie, mais le dimanche aux poètes. Ce jour-là, chez l'un ou chez l'autre, les poètes avignonnais se rencontraient : à Avignon, chez le père d'Aubanel, dans le vieil hôtel à tourelles où la grande presse de bois imprimait les catéchismes et les livres de classe, et où le vieil oncle chanoine ne voulait parler que provençal ; à Châteauneuf-du-Pape, chez Anselme Mathieu ; à Maillane, bien entendu, au Mas du Juge, où, en février, pour la Sainte-Agathe, les collègues en avaient pour trois jours à écraser l'anchois, boire le vin cuit, entendre des vers ; à Saint-Rémy, chez le jardinier Denis Roumanille. Chacun avait ses vers dans sa poche. En sept ans, l'un après l'autre, une bonne partie des douze chants de *Mireille* y passa.

Mais la vieille cuisinière des Aubanel maugréait après ces invasions; le père

Roumanille et le père Mistral étaient d'âge à aimer leur tranquillité, et ce n'étaient pas les poètes qui, aux yeux du vigneron Mathieu, pouvaient donner à son fils le brevet de sérieux qui lui manquait encore plus que celui de bachelier. Une famille avait été élue pour offrir à la nouvelle Pléiade un rendez-vous et un nid : les Giera.

Le père Giera était un épicier d'Avignon, alliacé et savoureux comme sa brandade, original qui avait fait la conquête d'un autre original, un vieux marquis, lequel lui avait légué sa fortune, qui était grosse. L'épicier laissa là les pruneaux, acheta une étude de notaire pour l'aîné de ses fils, habita le castel de Fontségugne hérité du marquis et où sa veuve habite maintenant l'été, avec Paul, le notaire, qui est aussi poète, sous le nom de Glaup, le cadet Jules, et deux filles, entre les voisines et compagnes de qui on voyait Jenny Manivet, celle qu'Aubanel aima, à qui il n'osa se déclarer, qui se fit religieuse et devint la Zani du poète, la seule Cassandre ou Hélène de chair que la poésie de la nouvelle Pléiade ait rencontrée.

Les Giera étaient naturellement des

blancs, — Paul était même le chef des Pénitents blancs d'Avignon, desquels Roumanille, Aubanel, et aussi Mistral, portèrent la cagoule. Dans ce monde du clergé, des bonnes familles, dont Aubanel est l'imprimeur, Roumanille le publiciste goûté, la Pléiade (nous n'en avons plus pour bien longtemps à l'appeler de ce nom de confection, elle est en train de s'en faire un sur mesure) trouve d'abord ses appuis, son atmosphère, son élan (cela n'allait pas durer). Roumanille et Aubanel viennent de publier un recueil de Noëls provençaux, où les leurs, et ceux de Mistral, sont imprimés à la suite de ceux de Saboly. L'esprit de nos poètes est celui du cantique *Provencau et Catouli.*

A Fontségugne, chez les Giera, le Félibrige naquit, comme on sait, le 21 mai 1854, jour de la Sainte-Estelle, l'étoile des mages, dont les Provençaux ont fait une sainte, de même qu'ils ont converti la sainte Trinité en un saint Trinit, lequel a donné son nom et son jour de fête patronale à un village de Vaucluse. Le récit que fait Mistral dans ses *Mémoires* participe peut-être, lui aussi, de cette mythologie chrétienne, et il est fâcheux que notre profession nous oblige à suivre ici en matière de saints la politique du docteur Launois et de Mgr Duchesne.

L'idée du Félibrige ne vint pas, comme il le dit, tout d'un coup, à nos convives en écoutant chanter dans les gosiers le rossignol du Châteauneuf-du-Pape. Il en était question depuis quelque temps, et Mistral, avec son génie organisateur, avait établi un plan ferme. Ayant trouvé dans un vieux cantique ce mot pour désigner les scribes avec lesquels disputait Jésus enfant : *les sept félibres de la loi*, ne sachant d'ailleurs pas plus qu'on ne l'a su depuis ce que félibre signifiait, il lui parut simplement qu'il ne manquait point de sonorité, qu'il convenait à des poètes, qu'il portait sept lettres comme Frederi, et comme Mistral (condition aussi indispensable que la tache en forme de scarabée sur le pelage du bœuf Apis), que ces félibres de la loi étant sept doivent désigner sept prédestinés, soit sept poètes; — que *félibre* enfin provigne de manière charmante en *félibresse*, femme de félibre, *félibrillon*, enfant de félibre, et *félibrige*, société des félibres. Sept félibres de la loi, sept poètes attachés à maintenir la loi et les prophètes, la langue et le génie de la Provence.

Mistral cite comme convives et fondateurs, ce 21 mai 1854, les sept poètes Glaup, Roumanille, Aubanel, Mathieu, Brunet, Tavan et lui-même. Garcin, selon certains, aurait disparu de la liste parce qu'il rompit plus tard avec ses collègues par son pamphlet violent contre les poètes provençaux : *Français du Nord et Français du Midi*. C'est alors qu'on aurait décidé de le remplacer par Brunet. Mistral conterait l'histoire comme si le remplacement était déjà fait, et il se refuserait à nommer cette *peau retournée* de Garcin. La vérité c'est que l'histoire authentique de la journée du 21 mai, le nom exact des convives, la nature des décisions, cela dort encore dans quelque correspondance, d'où, saint Thomas l'Apôtre aidant, on les tirera bien quelque jour.

L'essentiel d'ailleurs n'était pas les noms, mais le nombre. Il fallait être sept, parce qu'une pléiade est de sept étoiles, que le nombre sept avait jusqu'ici gouverné le mouvement, et qu'Avignon, berceau du félibrige, s'était faite sur ce rythme septénaire, avec ses sept paroisses, ses sept couvents d'hommes, ses sept couvents de femmes;

ses sept confréries de pénitents, ses sept cours de justice, ses sept collèges, ses sept hôpitaux, ses sept échevins, ses sept papes qui y sont restés septante ans, dans le Palais aux sept tours, les sept lettres de son nom, et les sept des noms de ses deux saints, Agricol et Bénazet.

L'*Armana Provençau*, qui est, avec l'œuvre de Mistral, le produit le plus célèbre du Félibrige, passe pour le fruit capital, la grande décision de Fontségugne. « C'est, dit Mistral, dans cette séance mémorable à juste titre et passée, aujourd'hui, à l'état de légende, qu'on décida la publication, sous forme d'almanach, d'un petit recueil annuel, qui serait le fanion de notre poésie, l'étendard de notre idée, le trait d'union entre félibres, la communication du Félibrige avec le peuple. »

A l'état de légende ! Mistral ne croit pas si bien dire. Car, en effet, il répète une légende, à laquelle il a fini par croire, puisqu'elle faisait partie de toutes les histoires du félibrige. Il ne fut nullement question de l'*Armana* à Fontségugne. C'est une idée qui vint au seul Aubanel, et bien plus tard.

Le 19 septembre 1854, donc quatre mois après Fontségugne, Roumanille écrit à

Gaut : « Vous n'apprendrez pas sans intérêt que l'acariâtre Aubanel vient de chausser une idée, à laquelle il tient *mordicus*, et qu'il est assez têtu pour pouvoir réaliser avec l'aide de ses amis. Il veut publier un almanach écrit dans le dialecte arlésien et comtadin, un petit livre de trois sous, contenant prose et vers. C'est une fantaisie avignonnaise, toute locale, biscornue, pourtant très originale, qu'il peut mener à bien, et qui peut lui faire jeter à la rue une cinquantaine d'écus. Il est assez riche pour s'amuser à ce jeu-là, et je suis très décidé à l'encourager. Ce sera là une gentille chapelle particulière dans notre vaste église, et les fidèles qui ont foi à notre saint y viendront le prier. C'est drôle. Que sortira-t-il de cet œuf-là? »

Peu de confiance, n'est-ce pas? Non seulement Roumanille est sceptique, mais il ne veut pas que d'autres partent derrière l'idée d'Aubanel plus vivement qu'il ne fait lui-même. Il juge que Gaut, qui lui a répondu, donne à l'almanach « une portée qu'il n'a pas, qu'il ne doit pas avoir. C'est une excentricité artistique, et voilà tout, exécutée à la vapeur, et qui a été décidée un jour après boire, et quel boire !

Ce que je vois de plus sérieux, c'est que cette publication fera en quelque sorte un trait d'union entre Avignon et Marseille, sous le rapport orthographique ». En novembre, l'almanach s'imprime. Aubanel, dit Roumanille, ne pense qu'à ça, ne mange pas, ne dort pas, maigrit.

Les félibres, cependant, à commencer par Mistral, s'empressèrent de fournir à Aubanel vers et prose. Ce fut une belle idée mistralienne de commencer l'almanach par un tableau de l'histoire de Provence, dont les dates significatives marquent la direction de sa pensée, et déjà l'élargissement du Félibrige en une conscience historique de la race. Si Roumanille ne voulait pas que l'*Armana* eût de portée, il fut heureusement déçu.

De n'avoir pas surgi, à Fontségugne, d'un enthousiasme fondateur et législatif, l'*Armana* perd-il quelque chose? Au contraire ! Il est né en Avignon, comme naquirent dans le Lyon des grandes foires les almanachs de Rabelais, et le *Pantagruel* ; il est né d'une idée d'imprimeur, l'imprimeur du pape, s'il vous plaît, le fabricant de catéchismes et de publications populaires, mais d'un imprimeur-poète, de

Théodore Aubanel. Dans l'hôtel papalin des Aubanel, plein de vieux meubles et précieux comme un musée, il coule de la grande presse séculaire, en bois de châtaignier, et pareille à un pressoir ruisselant et viné. Si nous évoquons ici Rabelais, le Poète, comme de juste, nous a précédé. Quand l'*Armana* paraît, écrivant à Gaut, Mistral se réjouit du succès : « Ce diable d'Aubanel, dit-il, est dans le cas d'en débiter en six mois plus que de bibles en neuf ans, comme disait notre vieil ami Rabelais. » Vous n'oubliez pas ici, bien entendu, que l'idée de l'*Armana* est née chez Aubanel « après boire, et quel boire! ». Le Châteauneuf-du-Pape a porté bonheur à l'almanach ! Sainte Estelle brille sur les vignes, et tout succède.

A Noël, l'*Armana* parut. Un triomphe ! Deux tirages épuisés en moins d'un mois. « Ça court de clocher en clocher, comme un feu follet, » écrit Mistral. Le succès de l'*Armana* en ramena un autre pour les *Noëls* des vieux et des nouveaux poètes provençaux, que les Aubanel avaient publiés deux ans avant, et qui allaient avec l'*Armana* comme le vin cuit avec la bûche calendale. Autrefois, Frédéric, à Maillane, pendant les veillées de décembre, jouait la tragédie française. Grâce à Dieu, et à sainte Estelle, ce temps est loin. « Cet hiver de 1854, écrit-il à Gaut, il s'est amusé « à apprendre aux jolies filles du village, — « oh ! la charmante occupation ! l'aimable « passe-temps ! — les meilleurs Noëls du « recueil d'Aubanel ». Entre ces Noëls, l'un est de Gaut, c'est la *Dindouleto.* Et voyez ! c'est lui le favori des Maillanaises ! « Tout le village chante la *Dindouleto*, et le dimanche, quand les couples se rencontrent, *Mounte vai, Dindouleto ?* est le salut ordinaire. »

Mounte vai, Dindouleto? On va vers les jours noirs comme vers les jours blancs. Ce Noël-là, le vieux François Mistral était devenu complètement aveugle. Il ne toucha à rien de Noël, ni à l'aïoli, ni aux escargots, ni à la boutargue, ni au nougat, ni à la galette à l'huile. Et, à la fin de l'été de 1855, il mourut. Son dernier mot fut : « Quel temps fait-il, Frédéric? — Il pleut, mon père. — Eh bien ! il fait beau temps pour les semailles. » L'optimisme patient et paysan du fils tient au dernier mot du père, comme le bourgeon à la branche.

Le partage en trois lots se fit. Le Mas

passa au fils aîné. Les denrées, les bêtes, la basse-cour, l'équipage agricole, le mobilier, tout fut loti entre les deux frères et la sœur, et Frédéric, à qui était échue la maison de Maillane, alla y demeurer avec sa mère.

CHAPITRE CINQUIÈME

Il l'habitait depuis quelques mois quand, le jour de la Sainte-Agathe, un monsieur de Paris demanda à lui parler. Ce monsieur de Paris était d'ailleurs un compatriote, Adolphe Dumas, de Cabannes, qui était parti autrefois là-haut pour décrocher la grande timbale, avait fait jouer une pièce à la Comédie-Française, avait été aimé d'une de ses actrices, avait chanté, dans un volume de vers,

Le doux gazouillement des patois provençaux,
La langue des baisers reçus dans nos ber-
[ceaux.

Mais il était né, comme dit Mme de Noailles, sous la demi-étoile. Le pauvre, ayant dit une fois timidement à Alexandre Dumas : « Il y a eu les deux Corneille, il peut bien y avoir les deux Dumas », en avait eu cette réponse, que sa situation justifiait : « Oui, Thomas ! » Pour revoir sa Provence, Dumas avait dû solliciter du ministre Fortoul une mission. On lui donna huit cents francs afin d'aller dans le pays d'Arles recueillir les chansons populaires.

De ces chansons, Dumas avait chance d'en trouver à Maillane le jour de la fête votive. Dès qu'il débarqua de la diligence, il alla droit chez le jeune félibre de l'*Armana*. « Des chansons, dit Mistral. Eh ! oui, j'en sais. » Et il lui chanta *Magali*, la sienne. Et à Dumas émerveillé il apprit que cette *Magali*, transposée d'un vieux thème, faisait partie d'un poème en douze chants, dont il lui lut quelques morceaux. Dumas admira poliment, repartit. Il resta en rapports amicaux avec les Félibres, collabora à l'*Armana* jusqu'à sa mort, mais c'est seulement quand il connaîtra *Mireille* en entier que joueront chez lui les grandes orgues de l'enthousiasme.

Deux ans donc, Mistral refit et reprit *Mireille*. Il ne se décidait pas à la trouver parfaite. Il ne s'agissait pas d'abord de lui, mais des sept, et de la langue, et de la Provence. Les *Prouvençalo*, l'*Armana* avaient été des préludes. Il était entendu qu'on ne s'imposerait que par une grande œuvre épique, par une *Somme* de toute la Provence rustique, et si belle qu'elle régnerait sur Paris comme sur le pays. Par un don de Dieu, on l'avait ici sous la main ; on la voyait de saison en saison, aux lectures du dimanche, croître, respirer plus fort, s'arrondir comme la poitrine mûrissante de la jeune fille, et qui, dans la maison des poètes, mettait tant de grâce, de promesse, de divine jeunesse, que nul n'était pressé de voir arriver au village le fils de roi, du roi de Paris, qui, c'était sûr, épouserait la pastourelle. Plus que le grand jour éclatant, salué par Lamartine, que le ciel parcouru par le char d'Apollon, on aime cette aube provençale du poème, cette heure de musique sous le rayon de sainte Estelle, où l'écrit ne l'a pas encore arrêté, où il fait corps avec la voix et le beau visage du jeune poète, où le miel est dans la cire, le raisin brun bout dans la cuve,

Lou vin de Diéu gisclara lèu !

Cette *Mireille* déjà complète, mais parlée, mobile, adolescente, elle dure deux ans, de la visite d'Adolphe Dumas à ce jour de juillet 1858 où Mistral, dans cette maison de Maillane, fait la lecture du poème définitif à Grivolas, le peintre, à Aubanel et à Legré.

Aubanel ! Ces années que Mistral avait vécues avec Mireille, lui, les avait passées avec l'image de Zani : toutes deux insaisissables, toutes deux meurent vierges, consacrées à la seule poésie, touchées et interdites par le doigt de feu. Le jour même où Aubanel était à Maillane, Zani s'arrêtait à Avignon, une dernière fois avant de s'embarquer à Marseille. Elle venait de faire profession chez les religieuses de Saint-Vincent-de-Paul. On l'envoyait à Galatz. Aubanel, qui aurait pu la voir, et qui ne la revit plus, apprit le soir en rentrant qu'il avait payé cher, au prix qu'elle valait, la première lecture de *Mireille*.

Autour du trésor, les quatre délibérèrent. Legré décida Mistral à partir pour Paris, afin d'y montrer le manuscrit. C'était une entreprise ! Mistral vers le Nord n'était jamais monté plus loin qu'Orange. Il se résolut enfin au grand voyage chez les Franchimands : « Fais-je bien? Fais-je mal? Dieu seul le sait. A la garde de Dieu ! » écrit-il. Le grand Félibre du Ciel, comme dira le P. Xavier, le prit en garde, et l'ami Legré l'accompagna.

L'idée d'Aubanel était que Mistral fît éditer son poème à Paris. « Je lui ai donné ce conseil, dit-il, et je le crois bon, car ce n'est qu'à Paris que se font tous les succès artistiques et littéraires. » Enfin, on verrait. A Paris, d'abord, les deux braves Provençaux allèrent consciencieusement courir et admirer « de Notre-Dame au Louvre, de la place Vendôme à l'Arc de Triomphe », sans oublier le Jardin des Plantes et le canon du Palais-Royal. Mistral jugea-t-il comme Aubanel, qui, au retour du même voyage, déclarait que Paris lui avait paru plus petit qu'Avignon? Puis Mistral et Legré montèrent l'escalier d'Adolphe Dumas, avec le manuscrit. Dumas ne connaissait que les fragments entendus à Maillane. En trois matinées, à quatre chants par jour, Mistral lui lut tout *Mireille*, à la suite de quoi Dumas prit sa belle plume, et écrivit à la *Gazette de France* la lettre qui, avec le quatrain liminaire de *Calendal*, assure Adolphe de durer pour le moins autant qu'Alexandre père et fils.

« La *Gazette du Midi* a déjà fait connaître à la *Gazette de France* l'arrivée à Paris du jeune Mistral, le grand poète de la Provence. Qu'est-ce que Mistral? On n'en sait rien. On me le demande, et je crains de répondre des paroles qu'on ne croira pas, tant elles sont inattendues, dans ce moment de poésie d'imitation, qui fait croire à la mort de la poésie et des poètes.

« L'Académie française viendra dans dix ans consacrer une gloire de plus, quand tout le monde l'aura faite. L'histoire de l'Institut a souvent de ces retards d'une heure avec les siècles, mais je veux être le premier qui aura découvert ce qu'on peut appeler aujourd'hui le Virgile de la Provence, le pâtre de Mantoue arrivant à Rome avec des chants dignes de Gallus et des Scipions.

« On a souvent demandé pour notre beau poème du Midi, deux fois romain, romain latin et romain catholique, le poème de sa langue éternelle, de ses croyances saintes et de ses mœurs pures. J'ai le poème dans les mains, il a douze chants. Il est signé

Frédéric Mistral, du village de Maillane. »

Il fallait présenter le jeune Provençal à Lamartine. Dumas le conduisit dans la maison de la rue de La Ville-l'Évêque, où le vieux poète le reçut bienveillamment, dans un cercle de belles dames, lui fit dire quelques vers provençaux, que traduisit une Anglaise, la comtesse de Peyronnet : première rencontre que Lamartine romança dans l'*Entretien*, l'année suivante, dans sa plus belle manière décorative.

Mistral ne resta guère plus d'une huitaine à Paris. Ses vendanges le rappelaient à Maillane. Il ramena le manuscrit en Avignon, décidé à l'y publier. Aubanel continue à regretter qu'il ne fît pas imprimer *Mireille* à Paris. Il s'en explique dans une lettre à Legré : « Parce que Mistral a du talent, un talent immense, parce que c'est un homme de génie, un homme de la trempe de Virgile et du Tasse, enfin, un homme épique comme il en paraît rarement dans le monde, eh bien ! précisément à cause de cela, il a des jaloux, et cela est horrible. Il en est déjà dans notre Midi, qui parlent des taches du poème de Mistral, de taches noires... Si Mistral était resté à Paris, il se fût épargné, je crois, bien des misères. »

Le message de Dumas n'avait pas seulement alerté, et amusé, les Parisiens (Méry avait fait aux Marseillais et à leurs voisins une réputation qui légitimait des doutes), mais il avait communiqué l'éveil à la Provence. On regardait vers Avignon. En septembre, Seguin, le patron, puis l'imprimeur de Roumanille, commença à composer *Mireille*. Le poème devait paraître chez Roumanille, devenu libraire, et porter cette épigraphe, qu'on décida ensuite de supprimer :

Depuis Arles jusques à Vence,
Ecoutez-le, gens de Provence !

Même depuis Nîmes. Dès le 23 octobre, le *Courrier du Gard* appelait Mistral le « Cygne de Maillane » et déclarait que *Mireille* était attendue avec impatience par les partisans et les détracteurs de la poésie provençale. Le 29 octobre, Mistral produisait pour la première fois son poème en public, au public de Marseille. Il en lisait des fragments aux conférences Saint-François-Xavier, présenté par une introduction excellente de l'abbé Bayle.

On sait quel succès de récitation avaient obtenu les poèmes provençaux de Roumanille aux conférences de la *Société de la Foi*. Roumanille remarquait à ce propos que l'œuvre des trouveurs et des réformateurs ne ferait sa trouée à même le peuple que par la présence réelle et la lecture publique. Pareillement, l'abbé Bayle observa « que les poètes provençaux, à la différence des poètes français, trouvent un public pour les écouter et non seulement pour les lire... Montrant comment, depuis l'imprimerie, la parole écrite a diminué le rôle de la parole parlée; il a rappelé ces temps de la Grèce antique et du Moyen Age, où tout un peuple se rassemblait pour entendre; des heures et des heures; les récits des poètes. » C'était mettre l'accent sur la question vitale. A Marseille; Mistral triompha : « Rien, dit le journal, ne nous a plus réjoui que d'entendre dans la foule un frémissement après certains vers dont il semblait que la délicatesse n'aurait été appréciée que par des esprits habitués aux choses littéraires. »

Voilà ce qu'il eût fallu fixer dans les rythmes habituels du peuple de Provence : ce frémissement! Notons que la strophe mistralienne est faite pour l'appeler, le prévoir, le gouverner, le propager, que ses octosyllabes donnent l'élan grâce auquel l'alexandrin déploiera toute sa ligne, l'alexandrin préposé au mouvement du vers, et, quand il est particulièrement pur et droit, matin triomphant, délégué au frémissement de la foule féminine, consentante, consonante. Là était la voie. Bien vite abandonnée et embroussaillée, comme une vieille route ! La route nationale l'a emporté. *Mireille*, par son triomphe parisien, a été déversée vers l'écrit, du côté de l'*Enéide* et de *Jocelyn*, au lieu de l'*Odyssée* et du *Roland*. Quand elle communiqua avec les foules assemblées, ce fut, hélas ! sous la forme de l'opéra-comique, car, auprès des foules, la lutte de la poésie contre la musique ressemble à celle de patron Apian contre le bateau à vapeur. Pour prolonger, depuis Arles jusqu'à Vence, ce frémissement du 29 octobre 1858, il eût fallu non seulement que Mistral choisît, ce qui ne convenait pas du tout à ce jeune lettré modeste et rangé, le genre de vie théâtral d'un Jasmin, mais que succédât le renfort d'un théâtre provençal, et, dans les églises, d'une prédication provençale : beaux rêves pour les soirées de Fontségugne !

Et, pourtant, le peuple de Provence ne se dérobait pas au charme. Trois mois après la séance de Marseille, Mistral donne une nouvelle lecture à Nîmes, à la Société Saint-François-de-Sales. Il choisit les épisodes de la Ferrade et des Saintes Femmes en Provence : « La foule, dit un journal de Nîmes, était tout entière dans la main du poète ; ardente et pourtant soumise, elle suivait d'elle-même le rythme varié de ces chants magnifiques, et se ployait avec docilité à la conduite sûre de ce vrai maître de la parole et de la pensée. Après que M. Mistral s'est tu on l'entendait encore. »

La foule ne manquait pas. Mais quelque chose, ou quelqu'un manquait à la foule, quelqu'un renfrognait un visage soupçonneux devant l'arrivée des Saintes, des Saintes au visage et à la voix de Muses. A qui fait allusion Aubanel? Qui parlait des taches, des taches noires du poème de Mistral? A qui donc crie-t-il dans sa lettre à Legré : « Coupez la gorge au cygne, si vous voulez, mais, brigands, ne dites pas qu'il chante faux ! » Sont-ce les rivaux jaloux, de Marseille ou d'ailleurs? Il ne vaudrait pas la peine d'y penser. La froideur et la défiance venaient d'un côté plus sérieux, et qui importait davantage aux destinées du Félibrige. Deux récitations de fragments de *Mireille*, à trois mois de distance, et c'est tout, et pas une à Avignon! Rien à la Société de la Foi? Qu'est-ce que ces oreilles bouchées? Ceci : le haut clergé, l'aristocratie, c'est-à-dire les classes dirigeantes d'Avignon, demeurent indifférents sinon malveillants. Cette *Mireille* est un poème d'amour. On dit qu'il y a des descriptions brûlantes. Elle ne porte pas d'estampille. A l'imprimer les Aubanel eussent perdu le titre d'imprimeurs de Sa Sainteté. La renaissance provençale n'intéresse pas les gros, le haut, les autorités sociales. La noblesse comtadine a d'ailleurs un délégué dans la presse parisienne, une manière de Sainte-Beuve blanc, le samediste de la *Gazette de France*, le comte de Pontmartin. Et Pontmartin rendra justice à Mistral, en parlera avec chaleur et vérité. N'empêche que, lorsque paraîtra *Mireille*, il aura ce cri du cœur (qu'il regrettera ensuite), et que j'ai déjà cité : « Quel dommage que ce beau poème soit écrit dans la langue de nos domestiques ! »

Cependant, Seguin imprimait, et trois semaines après la lecture de Nîmes, le 21 février 1859, le poème paraissait. Un des premiers exemplaires, religieusement empaqueté, fut envoyé à Lamartine. Un prospectus de lancement avait été rédigé par Roumanille, qui caractérisait avec force et vérité le chef-d'œuvre, classait avec exactitude l'épopée de la Provence : épopée humaine et locale, qui chante « l'amour et non la haine, la paix des champs et non la guerre, les grandes scènes de la vie rurale et non les glorieux carnages », groupe toute la vie d'un pays autour d'un couple d'amoureux, et trouve son merveilleux dans les croyances de la Provence chrétienne. Ne pensons pas que le pays d'Oc ait laissé à Paris le soin de découvrir Mistral.

C'est en effet quelques jours après l'apparition de *Mireille*, et avant le départ de Mistral pour Paris, que le jeune poète fut couronné, comme Pétrarque, devant ses concitoyens, et qu'il trouva dans ce couronnement ce qui devait lui manquer à Paris, le partage du triomphe avec les deux grands félibres amis. Non en Avignon, où sévissaient les jalousies de parti et les soupçons de sacristie, mais à Nîmes, où l'on n'avait pas oublié la lecture de janvier, et où furent organisées, au profit d'une œuvre d'orphelins, les premières fêtes officielles offertes aux félibres provençaux, avec la participation des autorités ecclésiastiques et civiles.

Mistral, Aubanel et Roumanille arrivèrent, portés par l'*estrambord* nîmois. La fête commença par une séance littéraire à l'Hôtel de Ville, où ils récitèrent leurs poèmes. Puis, le vieux boulanger, qui avait été jadis tiré de l'ombre par le rayon du soleil lamartinien, l'Ode sur *le Génie dans l'obscurité*, Jean Reboul, s'avança, avec trois couronnes de laurier, dont chacune portait en lettres d'or sur un ruban blanc le nom de l'un des trois poètes ; il les couronna successivement et les salua en vers français. Au vieillard blanc succéda l'un des jeunes orphelins de Saint-Vincent-de-Paul (un saint de langue d'oc), au bénéfice de qui les Félibres étaient venus. Il tenait trois rameaux fleuris, l'un de pâquerettes (on était au premier printemps) pour l'auteur des *Margarideto*, une branche de grenadier en fleurs pour le *Félibre de la Miougrano*, un bouquet d'épis de blé pour le Virgile de la langue d'oc. Il fit son compliment, lui, dans la langue maternelle. Aux félibres de Provence passait, lui faisait-on dire, l'héritage fleuri de cette Clémence Isaure, dont les présents d'argent et d'or ne servaient plus qu'à couronner, chez les bourgeois de Toulouse, des vers qu'elle n'eût pas compris :

Mai li floureto de Clemanço,
Vuei Nîmes li fai reflouri
Pèr vous, félibre de Prouvenço,
Que venès pèr nous abari !

Un banquet officiel suivit, le lendemain, puis une réception au palais épiscopal, occupé par un prélat lettré, Mgr Plantier, qui ne partageait point à l'égard des trois félibres catholiques les méfiances d'Avignon. Au banquet, Reboul porta ce *brinde* à Mistral, qui allait partir pour Paris :

Mistrau, vàs à Paris. Souvèn-te qu'à Paris lis escalié soun de vèire ! N'oublides pas ta maire ! N'oublides pas qu'es dins un mas de Maiano qu'as fa Mirèio, *et qu'es aco que te fai grand ! N'oublides pas qu'es un bon catouli de la parroqui de San-*

Pau qu'a pausa la courono sus la testo !

La relation que donna l'*Armana*, en 1860, se termine par ces mots : « Ainsi parla Reboul, et les larmes tombaient de ses yeux, et l'émotion et le bonheur étaient dans le cœur de tous. Il ressemblait à un vieux prophète qui imposait les mains sur les fronts de ses disciples en leur transmettant son manteau et ses dons. »

A Paris, les escaliers sont de verre ! Jamais plus, pour les poètes, qu'en cette année 1859, les paroles du vieux Reboul n'avaient pris de vérité tragique. Où en était la grande volée romantique? Hugo en exil, Gautier contraint pour le pain des siens à des besognes de vieil ouvrier sans retraite. Lamartine ! L'escalier de verre, aux yeux d'une France qui lui avait été tout entière ce que la salle du banquet de Nîmes était à Mistral, il l'avait gravi jusqu'au ciel. Maintenant...

Cependant le vieux prophète dont les Félibres attendaient pour Mistral le manteau et l'héritage, c'était lui. Quoi qu'il en ait dit, il ignorait *Mireille* avant d'en avoir reçu le premier exemplaire. Dès qu'il l'eût reçu et lu, son enthousiasme déborda: Il fit savoir à Mistral que *Mireille* ne quittait pas sa table, qu'il l'avait lue trois fois, qu'il allait écrire sur la Provence et son poète son prochain *Entretien*.

Le 16 mars, Mistral, avant de prendre, à midi, le train de Paris, vint déjeuner rue Saint-Marc, chez les Aubanel. À son triomphe parisien, les imprimeurs du pape burent le Châteauneuf. Mais ce n'était qu'une agréable formalité, car la partie était gagnée. Mistral n'allait pas chercher la gloire. Il partait pour le rendez-vous qu'elle lui avait donné. La joie des bons félibres, le triomphe de Nîmes, cet énorme courrier quotidien de Paris, qui, chaque matin, émerveillait sa mère, l'en assuraient. C'étaient de pleines et certaines fiançailles ; il n'y avait qu'à laisser dans ce feuillage le soleil mûrir le fruit d'or.

On souhaiterait, peut-être, que le biographe de Mistral usât de ces mots autrement que comme d'images. Le poète a vingt-neuf ans. Il ne faut pas trop se le figurer d'après le portrait idéalisé sur lequel Lamartine a mis sa touche créatrice, ni même d'après le fier crayon d'Hébert. Nous avons des photographies nombreuses. Mistral n'est pas de grande taille. On n'imagine guère de physionomie moins fatale, et qui réponde moins à celle que le romantisme aimait. C'est la figure d'un provincial de profession libérale, d'un jeune avocat intelligent, consciencieux, au tribunal de Tarascon, qui ne plaidera que de bonnes causes, avec assez de flamme et de ressort, tout de même, pour émouvoir des magistrats et un jury. Sur elle s'affinent sans s'effacer les traits héréditaires, ceux d'un fils de cultivateur qui a fait des études, qui s'est élevé posément, sans hâte, ainsi qu'en sept ans il a fait son poème, ou qu'en un été le raisin mûrit. Pour trouver chez un grand écrivain français ce visage reposé, sain, coloré par le plein air et

Lou vin pur de nosti plant,

il faut remonter à Bossuet, dont on a encore l'occasion de rencontrer, en Bourgogne, la tête sur les épaules d'un caviste, ou d'un vigneron des Hospices. Frédéric Mistral, en 1859, s'il n'a rien du tout d'un rêveur à nacelle ou d'un buveur d'eau des mers dans le crâne des morts, il n'a rien non plus de ce que quelques Parisiens se sont imaginé, sans doute d'après son impériale et son chapeau : un casseur d'assiettes, un bourreau des cœurs rustiques, un coq de village. Mais enfin ce poème qui conquiert Paris, c'est un poème d'amour. On s'étonnerait que Mistral atteignît bientôt la trentaine sans qu'il y eût à côté et au-dessus de l'histoire de son génie une histoire de ses amours.

Le nom des Maillanaises, magnanarelles ou autres, avec qui le fils de maître François pouvait parler, comme c'était de son âge, soit des travaux des champs, soit d'autre chose, nous importe peu. A dix-sept ans, il jouait la comédie avec les filles du village. Plus tard, il leur apprenait les Noëls des poètes provençaux, la *Dindouleto.* Et voilà. Mais ce qu'on appelle vraiment l'amour?

Il nous a dit au moins qui l'aima. C'est une jolie histoire des *Mémoires.* Quand il avait douze ans, il avait joué à Frigolet le rôle d'une princesse dans les *Enfants d'Edouard.* On avait été chercher des costumes chez des amis de la plaine, et voilà comment une des petites spectatrices de la tragédie, dans la Montagnette, en 1841, se trouvait tout émue de voir son ancienne robe blanche portée par ce jeune garçon qui, d'une voix si claire, faisait descendre à son cœur les plus beaux vers du monde, certes, qui ce jour-là se trouvaient de Casimir Delavigne. La robe revint à la maison, non telle qu'elle en était sortie, mais présence vivante, mystère de l'autre sexe, étoffe consacrée à l'amour. Et voilà une contemporaine des jeunes filles de Francis Jammes :

Claire d'Ellébeuse, Adélaïde d'Etremont,
Claire de Perceval, Rose de la Vallée.

Celle-ci s'appelait Louise. Cinq ans après, quand la jeune princesse de tragédie était devenue un bachelier séduisant et timide, l'étudiant que nous rend un dessin de Laurens, Louise, alors voisine du Mas du Juge, le revit, lui parla, paraît-il (mais c'est sans doute une glose de bachelier), de la robe de Nessus, ouvrit son cœur. Frédéric ne ferma pas tout à fait le sien, puisqu'ils s'écrivirent, et que les *Mémoires* citent la dernière lettre, passionnée et poignante, qu'il ait reçue de Louise, la dernière année d'Aix. Il ne continuait cependant à écrire que par politesse, et, comme Zani, Louise entra au couvent, où elle mourut après avoir, ces quelques années de vie, prié pour que Frédéric fût heureux.

Ni à Maillane, ni à Aix, ne parut celle qui, dans la poésie provençale, eût fait pendant à Zani, comme Eva à Elvire. Et Mireille? Mistral s'en est expliqué plusieurs fois. « Si j'avais aimé une Mireille, dit-il, je n'eusse pas écrit *Mireille.* » Si j'avais vécu cet amour, je ne l'aurais pas constitué en poème, pour la plus grande gloire de la Provence. Entre ma Provence et moi, c'était à Dieu de choisir : gloire à Dieu !

Mireille meurt. Si l'amour de Calendal triomphe, c'est qu'Esterelle est une idée, l'Idée. Il semble qu'à la jeunesse de Mistral l'amour de la femme ait montré un visage tragique, de manière à en détourner pour la reporter sur l'œuvre une âme sensible comme la sienne aux indications du destin.

En entrant innocemment dans la robe blanche de Frigolet, l'enfant d'autrefois avait brisé, peut-être, une jeune vie. Mais sur sa vie, à lui, la robe noire, celle des filles d'Arles, fera une ombre, jettera plus de peine que de joie. De cela il n'a point parlé, mais ses amis l'ont su, d'autres ont parlé.

« Je m'étais imaginé, dit-il, que, tôt ou tard, au pays d'Arles, je rencontrerais, quelque part, une superbe campagnarde, portant comme une reine le costume arlésien, galopant sur sa cavale, un trident à la main, dans les ferrades de la Crau, et qui, longtemps priée par mes chansons d'amour, se serait, un beau jour, laissé conduire à notre Mas pour y régner, comme ma mère, sur un peuple de pâtres, de *gardians*, de laboureurs, et de *magnanarelles.* Il semblait que déjà je rêvais de ma Mireille... »

Cette Arlésienne, il la trouva précisément au temps où il achevait *Mireille.* Pour elle, il écrivit un de ses plus beaux poèmes, la *Communion des Saints,* qui parut dans l'*Armana* de 1858, et qui, autant que dureront les apôtres de pierre de Saint-Trophime, entre lesquels elle descend en baissant les yeux, fera durer la jeune fille de chair dorée. Il songea à l'épouser (et elle n'était ni la première ni la dernière !) Il ne s'agissait plus de la conduire au mas, qui était passé en d'autres mains, mais simplement dans la petite maison du Lézard, à un foyer devenu étroit, et pour la faire régner, avec l'auteur de l'épopée de demain, par le sourire, l'accueil et la beauté, sur un peuple de poètes, de félibres amis, de soldats d'une grande cause. A cette royauté-là, la beauté ne suffit pas ! Mistral risquait-il le mois de bonheur et la vie de peine promis par la sagesse rustique à de tels mariages? On en jugera. Un jour qu'elle avait lu des vers de son *calignaire* dans l'*Armana*, la Vénus d'Arles lui dit : « Monsieur Mistral, je pense bien que, quand nous serons mariés, vous ne ferez plus de *couiounado* comme ça. »

C'est la situation sur laquelle Villiers de l'Isle-Adam a bâti l'*Eve Future*. Mistral comprit. Entre la fille de son pays et l'âme de son pays, il fallait choisir. Il revint à *Mireille*, c'est-à-dire à la Provence ; la fille de chair ne fut qu'un échelon qui menait vers la fille de musique, et ce que les peintres appelaient sans doute à Arles un beau type un chemin vers l'Archétype. Il rompit. Peut-être, de retour dans la maison du Lézard, prit-il dans un tiroir un petit portefeuille de velours cramoisi, sur lequel étaient dessinées, avec des cheveux de jeune fille, les initiales de Frédéric au milieu d'un rameau de lierre, l'ouvrit-il, et en tira-t-il la dernière lettre de l'ancienne amie, Louise, qui l'avait brodé :

« Il y a deux ans, je te fis une promesse ; c'était de demander tous les jours à Dieu qu'il te rendît heureux, parfaitement heureux... Eh bien, je n'y ai jamais manqué, et j'y serai fidèle, jusqu'à mon dernier soupir. Mais toi, ô Frédéric, je te le demande en grâce : lorsque, en te promenant, tu verras des feuilles jaunes rouler sur ton passage, pense un peu à ma vie, flétrie par les larmes, séchée par la douleur ; et si tu vois un ruisseau qui murmure doucement, écoute ma plainte : il te dira comme je t'aimais ; et si quelque oisillon t'effleure de son aile, prête l'oreille à son gazouillis, et il te dira, pauvrette ! que je suis toujours avec toi. O Frédéric, je t'en prie, n'oublie jamais Louise ! »

Quelle mémoire garda-t-il de Louise? Je ne sais. Mais les félibres se souviennent que deux fois, à la Sainte-Estelle, à Cannes en 1887, et à Arles dans le cloître même de Saint-Trophime, où avait lieu le banquet, on lui demanda de dire la *Communion des Saints.* Les deux fois, il murmura les premières strophes, et puis, *Coume l'aigo gisclo sout un cop de remo,* le flot des larmes l'empêcha de continuer. Plus ferme que les feuilles jaunes, le ruisseau, l'oisillon en qui se confondait (ce sont trois couplets de romance) la pauvre petite Louise, l'Arlésienne superbe avait tenu à son cœur de chair.

Sa ligne de chance avait écarté le maléfice des filles aux vêtements noirs, à la peau de soleil, aux yeux puissants. Il ne l'avait touché que juste assez pour faire jaillir cet épi d'Eleusis de la poésie, la *Communion des Saints.* Mais il frappa en plein dans sa maison. Quatre ans après, en 1862, le jeune neveu qui portait le nom de l'aïeul, François Mistral, pensa réaliser le rêve que son oncle avait détourné dans la poésie : amener au Mas, pour y régner, la Camarguaise au trident et à la cavale. Il l'avait rencontrée, aimée furieusement. Il allait l'épouser. L'auteur de *Mireille* avait commandé le costume neuf pour la noce. Et le beau poème à dire, le beau *brinde* à porter ! Un soir, un Camarguais arriva à cheval à Maillane, entra dans la maison du Lézard, jeta des lettres sur la table de l'oncle. La fille était sa maîtresse, et une coquine ! Elle lui écrivait qu'elle serait toujours à lui, et qu'elle n'épousait le Maillanais que parce qu'il était riche. Avec tous les ménagements, on avertit François, on rompit le mariage, on en prépara un autre. Il laissa faire. Mais, le 7 juillet 1862, il se tua en se jetant d'une fenêtre. Et c'est de cette histoire qu'Alphonse Daudet tirera plus tard l'*Arlésienne.*

« Trop de cœur et de sensibilité, écrit Mistral à un collégien, son cousin, l'a poussé à cet acte de désespoir. »

Ce cœur et cette sensibilité, ce sang vif dans l'artère des Mistral, voilà le sauvageon sur lequel Frédéric a greffé la branche des oiseaux. Et l'arbre des Hespérides naît. La destinée du poète et l'existence de sa poésie veulent cette mutation de l'amour. Les coups qui frappèrent autour de lui, Louise, François, servirent de rançon au dieu exigeant. Sur la *Communion des Saints* s'opère une merveilleuse transposition. Ce qu'il a dit de l'Arlésienne n'était vrai que de lui. C'est le poète, non celle qu'il aime, que les saints de pierre du portail, les saints de Provence, élèvent invisiblement à eux, et, pendant qu'il surmonte les tourments de l'amour terrestre, font vivre et produire dans leur monde éternel.

CHAPITRE SIXIÈME

L'ANNÉE d'avant, il était parti avec Legré. Cette fois Anselme Mathieu, le félibre de Châteauneuf-du-Pape, l'accompagne, sans doute avec quelques flacons du cru, qu'on boit le soir en traversant la Bourgogne, car le train de midi n'arrive alors à Paris qu'au matin. Comme le panier de provisions, les deux félibres mais, au temps de la trentaine, partageaient fraternellement les biens de la vie : au *Felibre di pountoun* l'amour, au *Felibre dóu Mas* la gloire, et chacun des deux le délégué de son ami au lot qu'il a reçu plus modeste ! Aussi, la dernière bouteille du moût de la Nerthe écoulée, quand le train dans la nuit quitte Dijon, dans le wagon plein de Provençaux, de Lyonnais, de Bourguignons qui montent, papillons vers la lanterne, à la bataille de Paris, Mistral et Mathieu feraient aujourd'hui quelque peine à leur biographe s'ils n'ont pas entonné la chanson de leurs félibrées.

Sian tout d'ami, sian tout de fraire,
Sian li cantaire dóu païs !
Tout enfantoun amo sa maire,
Tout auceloun amo soun nis :
Noste ceu blu, noste terraire
Soun per nous-autre un paradis.

Une voix du compartiment voisin, voix de Tarascon ou d'Arles, d'un lecteur de l'*Armana*, a bien dû alors se lever pour soutenir le refrain :

Sian tout d'ami galoi et libre,
Que la Prouvenço nous fai gau ;
Es naùtri que sian li felibre,
Li gai felibre prouvençau.

Ce matin de mars, en arrivant à Paris, il se voit que le train de Marseille n'en a pas *carrejà lou souleu !* A la gare, il y a tout de même du soleil, puisque Adolphe Dumas est là. Et vous pensez que la première visite est pour Lamartine. Il a commencé d'écrire son *Entretien*. Il présente le Maillanais à l'assistance nombreuse qui, ce soir, est chez lui, et on ne parle toute la soirée que de *Mireille*. Serait-ce l'événement de Paris?

Il faut que ce le soit, dit Dumas. Mistral n'est pas venu à Paris pour son plaisir, mais pour sa gloire, et il suit docilement les indications de l'expérimenté compatriote. Chaque jour, le poète monte les escaliers des journaux, pour y laisser son poème en double exemplaire, Dumas ayant judicieusement remarqué qu'il y en avait toujours au moins un qui s'égarait. Le soir, il faut se montrer, dîner en ville, faire son office de phénomène et d'homme du jour, satisfaire, ou, plus fréquemment, décevoir les curiosités. Vigny lui donne, en le baisant au front, la bénédiction des Maîtres. Louise Colet, magnifique Provençale, mais Provençale blonde (et qui n'en vaut pas moins, au contraire !) passe avec lui une bonne part d'une belle nuit. « A lire du Victor Hugo », écrit Mistral dans une lettre à Victor Hugo. Le banquier Polydore Millaud (les Millaud sont des Juifs de Saint-Rémy) donne un dîner en l'honneur du Maillanais. Barbey d'Aurevilly, qui vient de lire *Mireille*, rencontre son auteur chez Lamartine. Il voit un correct et discret jeune homme de province. « Comment, monsieur, vous n'êtes pas un pâtre ! » lui jette-t-il d'un air sévère. Et son article du *Pays*, le 17 avril, très beau par endroits, garde la trace de ce mécompte. Le pauvre félibre ignore encore ce que c'est à Paris qu'une attitude. Il n'a rien d'un « palotin décoratif ». « M. Frédéric Mistral n'est pas si sauvage ni si autochtone que je voulais. » Ce n'est pas comme Barbey, qui nous fait savoir, à cette occasion, qu'il est, lui, « chouette grise de l'Ouest et goéland rauque d'une mer verte ». Voilà au moins une situation parisienne !

Mistral alla voir Sainte-Beuve, entre des bonnes et des cuisinières arriva au critique pour s'entendre dire : « Ah ! c'est vous, monsieur, que l'on a osé comparer à Homère ! » Jamais Sainte-Beuve ne parut, les dix ans qu'il vécut encore, s'apercevoir de l'existence de Mistral. Son mot était peut-être sincère : il croyait à la clôture du livre d'or. Cette année 1859, il laisse également et tomber *Mireille* et presque tomber les *Fleurs du Mal.* Mistral, c'est du patois, et Baudelaire le Kamtchatka. Le poète en lui n'est pas seulement mort jeune, il a été bien enterré ! Le fond de l'affaire, il faut peut-être aussi le voir en ceci, qu'Adolphe Dumas était l'ennemi du critique, le couvrait d'outrages en prose et en vers : la monture du cornac en subit les conséquences. Mais vraiment, si quelqu'un n'eut absolument rien d'une nature félibréenne, ce fut bien Sainte-Beuve! En Sainte-Estelle, quoi de plus Nord que ce Boulonnais?

Un peu moins de deux mois après son arrivée, fatigué de courses, rassasié de compliments et de gloire, Mistral songeait à repartir. Il vient d'écrire à Roumanille qu'il reste pour « épuiser sa chance ». Mais la voilà à peu près épuisée. Un soir, donc, accompagné de Dumas, il va faire à Lamartine la visite d'adieu. Ils entrent dans le petit salon de la rue de la Ville-l'Evêque. « Asseyez-vous, leur dit Lamartine, je vais justement lire à Mistral ce que je pense de son livre. »

Le *Quarantième Entretien* vient d'être imprimé. Voici les feuilles fraîches. Lamartine lit. Les phrases merveilleuses se succèdent, les pages célèbres tournent, s'ouvrent, perspectives sur la gloire ainsi que sur la mer bleue. Valentine de Cessia est là ; les yeux noirs de la jeune fille suivent profondément cette transmission qui va du génie foudroyé d'hier au génie illuminé de demain. Adolphe Dumas, qui a fait jouer et vu jouer tant de tragédies, dira qu'il n'a jamais assisté à une scène pareille. Et nous le croyons bien ! Les nappes après les nappes tombent des grandes orgues de bénédiction, jusqu'à la dernière page, celle de l'aloès, l'évocation du jardin d'Hyères, le grand sceau des Iles d'or pendu au parchemin de l'investiture comme il pend à la carte de France. Et Lamartine a terminé : « O poète de Maillane, tu es l'aloès de la Provence. Tu as grandi de trois coudées en un jour, tu as fleuri à vingt-cinq ans, ton âme poétique parfume Avignon, Arles, Marseille, Toulon, Hyères et bientôt la France, mais, plus heureux que l'arbre d'Hyères, le parfum de ton livre ne s'évaporera pas en mille ans. »

« Mistral se leva pour remercier et embrasser son bienfaiteur, dit Dumas ; mais un débordement de larmes lui coupa la parole, et il retomba sur sa chaise en sanglotant. »

Mathieu et Garcin l'attendaient à la sortie. Tous quatre montèrent dans la chambre de Mistral, rue Montmartre, et passèrent la nuit à lire l'*Entretien.* Le lendemain, il écrivit à Lamartine :

« Hier je n'étais rien, un pauvre poète de village. Vous avez détaché de vos épaules le manteau radieux de l'immortalité et vous m'en avez couvert. Comment ferai-je pour m'en rendre digne?... Si la France entière, dont vous avez grandi le nom parmi les noms des peuples, si la France que vous avez sauvée est si petite en face des obligations sacrées qu'elle vous a, comment ferai-je, moi pauvret, pour élever ma reconnaissance à la hauteur de vos largesses ! Oh ! n'importe, je vous le jure devant Dieu, vous n'aurez pas tendu la main à un ingrat! Si humble et si petit que soit le grain de blé, lorsqu'il monte en épi vers la rosée du ciel, il peut encore faire honneur à la main qui l'a semé. »

Que, maintenant, l'article de Lamartine abonde en erreurs, qu'il ait autorisé tous les contresens en faisant de ce bachelier virgilien un pâtre de convention, qu'importe ! Il a ajouté de la poésie à de la poésie. Il a traité Mistral comme Mistral avait traité sa Provence.

Mistral resta encore huit jours à Paris. Dumas tenait pour *Mireille* à un prix académique. Mistral alla donc voir le secrétaire perpétuel, qui était Villemain. Il tombait bien ! Quand Lamartine venait à l'Académie, pour voter, plusieurs ne lui adressaient pas la parole, et leurs conversations ne reprenaient qu'après qu'il était parti. Villemain reçut cependant Mistral plus poliment que Sainte-Beuve, lui laissa entendre qu'il aurait son prix quand le tumulte fait autour de son poème serait tombé, l'Académie étant trop grande dame pour marcher avec la mode, et surtout derrière Lamartine ! Il tint parole : Mistral fut couronné deux ans après. Et voici en quels termes il parle à Gaut du rapport, parfaitement grotesque, de ce secrétaire perpétuel : « Vous avez lu le passage de Villemain relatif à *Mireille*. La plupart des lecteurs ne verront là que du feu, mais le vieux coquin n'en a pas moins piqué Lamartine en plantant les aiguilles dans mon dos. » Il fallait que ce Bonhomet tueur de cygnes eût sa victime.

Arrivé le 17 mars, Mistral quitta Paris le 20 mai. Il le quitta dans des sentiments qui n'avaient pas changé depuis qu'il avait écrit cette lettre envoyée plusieurs mois avant à Dumas : « Si je n'étais chrétien, et si je n'avais toujours devant les yeux la vie humble et stoïque de mon pauvre père, il y aurait de quoi devenir fou de joie. Mais ne craignez rien : le seul sentiment que m'inspire le bonheur inouï qui m'arrive, c'est un attendrissement profond et un besoin infini de reconnaissance envers Dieu et les hommes. »

Son père ! Au retour de ce voyage triomphal, en roulant dans les plaines de Sens et de Tonnerre, le jeune vainqueur songea peut-être à un autre retour : sinon nous y songeons pour lui. La route de fer longeait la route de terre par laquelle François Mistral avait fait, en 1793, son unique voyage de Paris, où il conduisait le bon blé d'Arles, réquisitionné par la République. La besogne faite, il était reparti avec ses voitures, et, dans la pluie et la boue, il redescendait par la Bourgogne, quand il rencontra, menant un autre convoi, un charretier de son pays. Ils se touchèrent la main : « Où vas-tu, voisin, par ce temps du diable? » Du diable ! Il ne croyait pas si bien dire. « Citoyen, dit l'autre, je vais à Paris porter les saints et les cloches. » « Mon père, dit Mistral, devint pâle, les larmes lui jaillirent, et ôtant son chapeau devant les saints de son pays et les cloches de son église, qu'il rencontrait ainsi sur une route de Bourgogne : « Ah! maudit! lui fit-il. Crois-tu que pour « ton retour on te nomme pour cela repré« sentant du peuple? »

Le représentant du peuple de Provence, c'était lui, cette fois, Frédéric, qui avait fait lever à Paris les chapeaux, et d'abord le haut de forme gris de M. de Lamartine, comme celui de son père, devant les saints et les saintes, le génie et la langue de son pays.

Il revint avec Mathieu, embrassa en Avignon les félibres et monta à Graveson dans la diligence de Maillane, au milieu des : *Té! Frederi!* Il y avait bien du monde sur la place autour de sa mère, dont les premières paroles furent : « Va, j'ai bien prié, tous les soirs et tous les matins, pour M. de Lamartine, et, si le bon Dieu m'écoute, il sera heureux ! » Alors les compatriotes vinrent le saluer dans sa maison : « Allez, nous sommes bien contents, aussi contents que vous ! » On admira que l'enfant du pays eût été consacré par « le plus savant et le plus grand de tout Paris ». C'était Lamartine, sur qui chacun lui demanda des détails.

La prière de Délaïde Mistral fut sans doute exaucée dans l'autre monde. Mais dans celui-ci, hélas !... Des deux grands poètes de la France, en ce temps-là, la destinée de celui qui lutte contre les dettes est pire que la destinée de celui qui se bat contre l'Empire. Dès son retour, Mistral écrivit de nouveau à Lamartine. Et voici la réponse du grand homme : « Votre littérature à vous est un plaisir, la mienne est un devoir envers mes créanciers, qui vivent de ma seule plume... Rendez-moi le service de répandre le plus possible, par des bouches et des journaux bienveillants dans le Midi, le prospectus que je joins ici, seul moyen de faire un peu de ces ressources en ce moment pour moi et pour ceux qui vivent de moi. » « Dieu lui-même, disait un jour Lamartine, a besoin qu'on le sonne. » Mistral sonna, envoya à Gaut la lettre en le suppliant de faire le nécessaire dans le *Mémorial d'Aix*, dont il était rédacteur. Précisément Gaut est loué, dans l'*Armana* de 1856, d'avoir, pour réveiller les voisins et faire de la publicité à l'*Armana* de 1855, chanté *lou pu poulit de si cacaraca* (*Gau* signifie coq). Mais les coqs ne saluent pas le soleil couchant. On peut feuilleter le *Mémorial* de 1859. Il n'y a rien.

Après deux mois passés à monter et à descendre les escaliers de verre, Mistral retrouvait sous son pied les chemins du pays. Quand Lamartine le conjurait d'y rester, il prêchait un converti. Ses amis s'émerveillaient qu'il fût revenu toujours le même, simple et gai comme un enfant. Sa gloire ne le changeait pas, mais elle changeait grandement la cause de la langue et de la poésie provençale.

La Provence avait son chef-d'œuvre derrière elle, un chef-d'œuvre latin, méditerranéen, comme l'avaient eu l'Italie avec Dante, l'Espagne avec Cervantès. A la *Divine Comédie* et *Don Quichotte* n'était pas échue seulement une destinée d'œuvre d'art, mais une fortune d'institution : institution d'une langue et d'une littérature au moyen d'un livre extraordinaire qui exprime tout un pays et tout un temps. La langue française, fixée littérairement par Malherbe et Balzac, Corneille et Pascal, par des œuvres partielles, à secteur limité, non par un Rabelais, a joué sur un tableau différent. La réussite de *Mireille*, qui n'est pas surtout une histoire d'amour, mais une somme de la vie terrienne de Provence, une œuvre-souche à la Dante et à la Cervantès, marque à Mistral l'avenir, les possibilités, le devoir.

La voie est bonne, le sillon est droit. Il n'y a qu'à continuer. Non seulement toute la vie, mais toute l'œuvre et la poétique de Mistral sont résumées par l'inscription qu'il a voulue sur son tombeau : *Non nobis, Domine, non nobis, sed Provinciæ nostræ da gloriam.* S'il revient à Maillane net du moindre grain d'orgueil personnel, c'est que toutes ses ambitions, tous les mouvements de son sang provençal sont transportés dans une cause, une terre, une patrie faite et une patrie à faire, un autre être à animer, à instituer.

Voici ce que, ce grand printemps de Provence, ces jours de mai 1859, Mistral éprouve et mesure en lui, dans la force que lui donne son génie, dans cette autre force que vient d'y ajouter sa gloire, dans cet enthousiasme de ses concitoyens, dans son esprit lucide, dans la solidité de ses jeunes épaules, dans cette magnifique ligne de chance de sa main qu'admirera Desbarolles : une puissance d'institution.

Nous sommes, ici encore, à l'antipode du romantisme français, où le poète écrit pour soulager ce qui gémit en lui, où il est placé au centre de tout comme un écho sonore, où le génie poétique se confond avec le libre lyrisme. Chez Victor Hugo, la langue française docile, charmée, éperdument amoureuse, ressemble à Juliette Drouet. Elle appartient toute au poète. Elle lui donne inépuisablement tout. Elle le tient pour son lion superbe et généreux. Pour Mistral, au contraire, c'est le poète qui appartient à la langue. La langue n'est pas Juliette, elle est Esterelle, celle qui marque des travaux à Calendal. Le brave Maillanais n'est le lion de personne. Mais il vit sous l'ombre et le regard et le conseil de ce rocher des Alpilles, à forme vivante, qu'il appelle le lion d'Arles, son lion. Si, comme le dit Platon, le souffle divin habite chez celui qui aime plus que chez celui qui est aimé, Mistral, davantage, participe ici du vœu de Dieu.

CHAPITRE SEPTIÈME

Mistral a mis sept ans à écrire *Mireille*. Dans les sept ans qui viennent, il écrira le nouveau poème, *Calendal*. Ou plutôt il le laissera se composer en lui, comme il a laissé se composer *Mireille*, essayant, balançant, resserrant, détendant, jetant sa stance de sept vers, au cours de la promenade quotidienne, la tirant des sucs de la terre, de l'air et du soleil, comme l'épi et l'olive. De là venait, selon lui, l'exactitude et la vérité de sa poésie. Il n'inventait pas. Il ne parlait de rien, plante, bête ou homme, dont il n'eût l'expérience de plein air, et qu'il ne connût comme Corot connaissait la nature. Quand il dit de Mireille :

A travers de la Crau, vers li mas, dins li bla
Ieu la vole segui.

il faut prendre le mot à la lettre, voir

le poète qui marche dans la Crau, seul, ou avec un ami, et qui suit Mireille, c'est-à-dire son idée, *soun pantai*. Ses compagnons de voyage, quand il en avait, étaient avertis. Son propos alerte, s'il le laissait tomber, on savait ce que cela voulait dire, on se taisait : car le poète cherchait et composait, il allait trouver une idée, une image, un vers, une stance. On ne dérangeait pas le travail des abeilles. Et quand c'était fini, le discours repartait, retrempé par le bain des dieux, plus vif, plus aiguisé de galéjade.

Il avait suivi Mireille dans son petit pays, dans son coin de Provence, dans la plaine agricole et la *sansouire*, dans la Crau et dans la Camargue. Cette poursuite de ce premier septénaire, il va la continuer, dans les sept ans nouveaux, sur un tableau plus vaste, cette fois sur la Provence entière. A travers la Provence que suivra-t-il? Non plus une *chato de Prouvenço*, mais une *ideio de la Prouvenço*, l'idée de la Provence poétique, la *Causo*. La personnification de la *Causo*, c'est Esterelle. Si j'avais aimé Mireille, dit-il, je n'aurais pas écrit *Mireille*. Mais il n'eût pas écrit *Calendal* s'il n'eût aimé Esterelle. Le van nier Vincent n'est pas Frédéric, mais le pêcheur d'anchois Calendal est bien Mistral. Tout *Calendal* marche, comme les treize vers d'un sonnet, vers le dernier vers :

Possesseur d'Esterelle et consul de Cassis.

Possesseur d'Esterelle : le poète de la Provence. Consul de Cassis : le représentant du peuple de la Provence. Les noces de Calendal et d'Esterelle, elles se répéteront vingt fois, autour du feutre gris du poète, dans les panégyries d'Orange, d'Avignon, de Nîmes, d'Arles ou d'Aix.

Cette Provence, il la connaissait peu. C'est seulement pendant ces années soixante qu'il la parcourut avec quelques compagnons : Aubanel, Grivolas, Legré, et que du Mont-Ventoux à la Roche d'Aiglun il vit les pays où il promène Calendal. Le félibre son compagnon, c'est Aubanel, au temps où il publie la *Miougrano* (1860), et qu'il ne faut pas nous imaginer ennuagé éternellement dans le souvenir de Zani. Tout au moins Aubanèl jusqu'en 1861, époque de son mariage. Et savez-vous ce qu'ils trouvent, les félibres, dans leurs courses de campagne et de montagne? La poésie pure, tout simplement! Mistral l'a dit dans son discours à l'Académie de Marseille : « *Jalous de retrouva la pouesio puro e l'engeni vivènt de nosto lengo maire, de longo erian per li campestre e li mountagno.* » L'abbé Bremond, félibre malgré lui, est Provençal, et il se voit qu'il a bu aux fontaines d'Aix. Où cherchent-ils la poésie pure, nos chers félibres? Tantôt aux Baux, tantôt au Ventoux, à la Sainte-Baume, dans l'Esterel, et dans les monts de Vaucluse, où les gendarmes un jour les arrêtèrent, et où il fallut qu'un brave paysan fît remarquer à la maréchaussée, qui les prenait pour de dangereux étrangers: « Ne voyez-vous pas qu'ils parlent comme nous autres? Ils ne sont pas de loin. »

Le jour où l'on va à la Sainte-Baume, c'est avec la cagoule des Pénitents blancs, pour laquelle les Giera font tant de propagande à Avignon. La confrérie a pour tuteurs et pères les Dominicains de Saint-Maximin, qui invitent chaque année six ou sept pénitents à la fête du saint. A celle de 1860, deux de ces pénitents sont Roumanille et Aubanel, qui s'adjoignent Mistral comme pénitent de contrebande, dit

Roumanille, car il ne faut prendre Mistral que pour un catholique modérément pratiquant. On aura des cellules au couvent, et c'est, selon Roumanille, « une partie de félibres pénitents ». « N'a-t-on pas, en effet, ajoute le bon Rouma, des péchés à pleurer, des rimes faibles, des vers mal tournés, des chevilles par-ci, par-là, des longueurs et des galimatias? » Ce ne fut pas du temps perdu : la pureté de *Calendal*, l'éclat de la langue, le nerf et l'allant du récit, voilà qui témoigne en faveur de la discipline des pénitents et de l'ascèse dominicaine.

Dans l'été de 1864, Mistral s'en alla reconnaître les lieux où il plaçait le repaire du comte Severan. « Mistral, écrit Roumanille, fait depuis huit jours un petit voyage d'études et d'agrément dans la Provence orientale. Son nouveau poème a pour théâtre cette Provence-là, et il a voulu, notre cher Homère, voir les lieux qu'il a à décrire. » Il les vit une fois. Il n'aimait pas le voyage pour le voyage. Il lui fallait un but. Il ne fit dans sa vie que deux sorties apparemment gratuites: quand il accompagna sa femme en Italie, et quand Marieton l'entraîna pour quelques jours à Évian et en Suisse. Pas plus pour le nomadisme que pour Paris, il n'entendait abandonner son coin de Maillane. Aller à la ville, c'était aller en Avignon. Et voilà tout.

Le service de la poésie, l'auteur de la *Miougrano* lui faisait porter les couleurs de l'Amour; Mistral, les couleurs de l'Idée. Ou mieux, ce sont deux nuances de la même couleur, deux dialectes du même provençal. « Le poète, écrit Mistral à Aubanel, plus impressionnable, plus apte que tout autre à connaître la beauté, est susceptible aussi de s'enflammer plus d'une fois et rapidement. Il existe dans le monde des milliers de jeunes filles capables de nous troubler le cœur. Dieu a répandu la beauté et l'amour, comme l'onde et les fleurs, largement et pour tout le monde. On a soif plus d'une fois, plus d'une fleur enchante l'œil ; n'est-il pas naturel qu'on ait soif de plus d'une femme? » Ce n'est pas à Roumanille qu'il eût écrit cela ! Mais voilà qui fut précisément, même après qu'il eût paru trouver le bonheur dans le mariage, le tourment et la tragédie du poète sensuel et captif des *Fiho d'Avignoun* et du *Pastre.* Ni pour Mistral, ni pour Aubanel, la beauté et l'amour n'ont jamais tenu en une personne. La première, et la plus belle, des pièces des *Fiho,* nous savons bien qu'elle s'adresse à n'importe laquelle (celle d'aujourd'hui plus que celle d'hier) de ces Avignonnaises aux yeux et au sein qui flambent — et qui allument, — à l'âge de la beauté du diable. Du diable, vous entendez, monsieur l'imprimeur du pape ! Et on le lui fit assez entendre, au pauvre ! L'Esterelle de *Calendal,* certainement, paraît aussi peu en chair et en feu que l'est ardemment l'une ou l'autre des filles aubanelliennes. Pourtant, elle aussi exprime le même pluralisme, la même disponibilité de soif, le même esprit de *Nourritures terrestres.* A la limite de ce pluralisme, chez Mistral, il y a l'idée platonicienne, l'Archétype, la pièce d'or, dont tant de visages au dehors et tant de soifs en nous font la monnaie. Et à cette même limite, chez Aubanel, il y aurait les *Mille e tre,* si la tradition des Aubanel et l'Avignon ecclésiastique n'étaient là !

Lamartine se trompait quand il croyait que le ciel destinait une Mireille à Mistral, dès son retour à Maillane. Toute la ligne de vie du poète eût été changée si au *Cante uno chato de Prouvenço* s'était substitué un *Ame uno chato de Prouvenço*. Et *Calendal* eût pu commencer par un *Ame la Prouvenço di chato*, et des hommes, et de l'histoire, et du passé et de tout. Par *Calendal*, par la substitution d'Esterelle à Mireille comme dame de sa pensée et de son action, le poète de trente ans, fidèle à des promesses, à des fiançailles, à un plan de vie, à une grande volonté ferme de ménager sur sa terre, épouse la Provence.

C'est la plus mistralienne de ses œuvres, le poème où il y a tout Mistral et le pur Mistral, de même que, dans *Lou Pastre* seulement, si Aubanel n'avait dû le détruire, nous verrions tout Aubanel et le profond Aubanel. Quand, au bout de sept ans, en 1867, Mistral publia son poème, il y eut trois attitudes de l'opinion : froideur de la part du public, qui juge cette allégorie démodée, non seulement bien provençale, mais provinciale ; succès d'estime dans la critique, où Mistral a des amitiés, où les Méridionaux soutiennent leur compatriote, et où l'éclat du style, la création de la langue, le muscle des vers forcent l'admiration. Mais la ferveur pleine, la foi et l'*estrambord* qu'il voulait susciter, *Calendal* les trouve chez ceux-là seulement qui sont aux sources du poème, qui ont vu depuis quinze ans Frédéric donner tout à Esterelle, je veux dire à la Provence, ceux qui connaissent jusqu'au fond, pour l'avoir vécu avec Mistral, le contenu de ce mot, la *Causo* : les garçons d'honneur des noces de Calendal.

Dans une noce, il y a toujours un *galéjaire* qui en a à la jarretière de la mariée (ici la Provence). Et donc, entre les bons félibres provençaux et provinciaux, voici que paraît un enfant terrible : c'est Alphonse Daudet. Mistral a raconté les farces de ce gamin nîmois de Paris, qui montait sur le parapet du pont d'Avignon en criant aux Allobroges et aux Franchimands : « C'est là que nous avons jeté votre maréchal Brune ! Vous y passerez aussi, si vous nous embêtez. » Et voilà du Léon en puissance. Le bon Mistral suivait, en Maillanais émerveillé, ce démon révélateur. Il avait fait sa connaissance à Paris, lors de son voyage de 1859, dans la petite chambre de la rue Montmartre où il était descendu, et où ce Nîmois à figure de *pifferaro* était venu un matin apporter un rayon du Midi. Il lui donnait à Maillane l'hospitalité dans la maison du Lézard, qu'il partageait avec sa mère. « Ah ! disait Daudet, plus tard, la grande chambre de Mistral à Maillane ! J'avais dix-huit ans, lui vingt-huit (mettez-en deux ou trois de plus pour chacun) : son lit dans un coin, le mien dans l'autre, et des causeries sans fin ; puis quelquefois, au milieu de la nuit : Si nous allions en Avignon, qué ! — et nous voilà nous habillant à tâtons, traversant pieds nus, nos bottines à la main, la chambre voisine où dormait la chère maman Mistral, derrière son paravent. L'escalier, la porte, et zou ! dans le noir, dans la vallée du Rhône. En route pour Graveson et le train d'Avignon ! Ville papale, orgiaque et sardanapalesque, où nous n'allions pas réveiller Roumanille de Segur ! » Je cueille cela le long d'un vieux journal qui cite dans ce texte un fragment de lettre de Daudet à Henry Fouquier. Si la gloire de Roumanille était allée, comme celle de Rostopchine, et comme telle autre plus parisienne, se jeter dans celle de la famille de Segur, cela se saurait. Sans doute, le texte était-il *de segur* : en provençal *pour sûr*. Quant au galéjaire Daudet, ayons en lui la même confiance qu'en Excourbaniès ou Bompard. Il y a quatre kilomètres de Maillane à Graveson, où seuls s'arrêtent les trains intégralement omnibus. La Compagnie P.-L.-M. ne fit d'exception que lors du siège de Frigolet, le plus grand événement militaire du pays, qui mobilisa les états-majors, et le jour où M. Poincaré invita Mistral à dîner dans le train présidentiel garé à Graveson. Mais, en 1860, on n'avait pas encore de ces égards pour les félibres, et le dernier train passait peu après dix heures. Daudet brode un peu, *de segur* !

Enfin ce Daudet, secrétaire du président de la Chambre, applaudi dans les salons pour les *Prunes*, en bordée chez les félibres, à l'aller et au retour de ce voyage d'Algérie où il était allé restaurer un poumon défaillant, et d'où il rapportait la graine tartarine, lui qui, passant à Maillane la Sainte-Agathe de 1867, y entendit en trois jours la lecture de *Calendal*, encore inédit (le beau tableau pour l'escalier d'un hôtel de ville en Provence !), Daudet maintint pendant plus de trente ans avec Mistral une amitié qui eut ses secousses, mais qui à ses secousses éprouva sa solidité. Chacun des deux fut témoin au mariage de l'autre, Mistral dès 1867 à celui de Daudet. *L'Arlésienne*, dont l'anecdote était prise dans la famille de Mistral, *Tartarin*, où le grand conteur du Midi tira sur la mère-grand, et qui le brouilla avec la masse des félibres, laissèrent-ils vraiment, comme on l'a dit, un pli de rancune sur ce grand visage pur de Mistral, sur cette bienveillance de chaud optimisme qui voyait et menait tout au mieux? Barrès écrit de Mistral, dans ses *Cahiers*, en racontant un déjeuner à Maillane : « Il ne peut pardonner à Daudet. » Je ne sais trop si Barrès, ce jour-là, a compris. Le Lorrain et le Provençal n'ont pas, sur ce point, de langage commun. Barrès détestait la forte plaisanterie, la grande charge, ne pouvait souffrir Meilhac et Halévy, n'avait pas plus de sens pour *Tartarin* que pour Rabelais. Le Provençal dit sans doute au Lorrain qu'il ne faut pas juger les Méridionaux d'après *Tartarin*, et que Daudet a répandu chez les Franchimands qui ne sont pas à la page des idées fausses sur le Midi. Voilà tout, et c'est parfaitement vrai. D'ailleurs, parler Félibrige, et Midi, et

Causo, avec des profanes, était ce que Mistral détestait le plus. Ajoutons que, superbe à l'inauguration de la statue de son vieil ennemi Jasmin, il devait au Félibrige, aux rancunes félibréennes contre l'auteur de *Tartarin*, de ne pas assister en 1902 à celle du monument de Daudet à Nîmes : le Félibrige n'y fut représenté que par Pascalon, je veux dire par le brave chancelier Mariéton, qui était Lyonnais, et n'avait pas de rancune. Mais tout cela, insistons, n'est qu'affaire d'État félibréen, de gouvernement de la République du Soleil, de ce qui est à dire officiellement et de ce qui n'est pas à dire ; cela ne concerne pas le cœur. Mistral était fier que la Provence eût, en *Tartarin*, son Don Quichotte. Il ne regrettait qu'un point : que ce *Don Quichotte* n'eût pas fondé la prose provençale, à la manière dont l'autre fonde la prose castillane.

Mistral n'avait-il pas vu naître *Tartarin* ? N'avait-il pas été un des premiers à entendre de Daudet les histoires de son cousin Reynaud, le Nîmois à la moue, grand lecteur de Gustave Aimard, et prototype de son Tarasconnais? Car ce n'est pas, hélas ! de la béarnaise, c'est de la littérature, que Grimod de la Reynière aurait dû dire : « A cette sauce, on mangerait son père ! » Et l'oncle, la mère-grand, la Provence ! Mistral n'avait-il pas encouragé Daudet à reprendre, avec des broderies algériennes et à la manière des contes de l'*Armana*, le thème de la *Chasse au Chastre* de Méry? Méry, Daudet, ce sont en Provence les diables qui portent pierre. L'un a fait chez les Parisiens la réputation de Marseille, l'autre la réputation de Tarascon. Est-ce que la Manche se plaignit jamais du manchot Cervantès? Daudet a été, chez les Franchimands, le félibre du dehors. Qu'est-ce que *Tartarin*, sinon l'œuf de canard couvé dans le bon poulailler de l'*Armana Prouvençau*? Tarascon n'est qu'un grand Cucugnan. Et Mistral, qui pensait lapidairement, a écrit, comme toujours, le mot définitif, quand il a dit, en terminant ses *Mémoires*, que la mère lionne de Provence ne garde pas de rancune à son lionceau s'il l'égratigne en jouant.

Garçons d'honneur des noces calendales? Peut-être, si on en établissait la liste par plébiscite, le premier nom donné par le public ne serait-il pas le nom de Daudet, ni, à plus forte raison, ceux de Roumanille et d'Aubanel, de Mathieu ou de Mariéton, mais celui de Gounod. Ne nous faisons pas d'illusions sur la popularité de la *Mireille* provençale. C'est un livre plus glorieux que lu. La langue provençale n'a jamais connu qu'un succès de librairie : c'est l'*Armana*, avec ses dix mille exemplaires. Un des meilleurs félibres d'aujourd'hui, né dans une famille où l'on parlait provençal, me disait que son père, qui admirait *Mireille*, la lisait souvent à sa famille. Il la lisait où? Dans la traduction en vers français du président Rigaud ! La vraie *Mireille* est plus populaire chez les romanistes de Greifswald et d'Upsal que chez les pâtres et gens des mas. Mais il y a une *Mireille* pour le peuple.

Il y a une *Mireille* pour le peuple : l'opéra-comique de Gounod. En mars 1863, Gounod arrive à Maillane, avec le *libretto* de Barbier, le lit à Mistral, —qui, écrit Gounod à sa femme, en est si ému qu'il pleure comme un enfant,—s'installe à Saint-Rémy, où il touche l'orgue les jours de grande fête, y compose sa partition en trois mois de printemps, et en donne la primeur le 24 mai, dans la salle de l'Orphéon, devant Mistral et quelques félibres.

En 1864, *Mireille* est jouée à l'Opéra-Comique par Mme Carvalho, avec un magnifique succès. Le jour de la première représentation, Gounod, dans sa loge, présente à Mistral une belle jeune femme qui éblouit le Maillanais. C'est Jeanne Detourbey, à qui, s'il faut en croire Arthur Meyer, il aurait déclaré cet éblouissement. «Mistral, écrit Meyer, dans ses *Mémoires*, était célèbre depuis la veille : il est devenu illustre depuis... Il venait à Paris pour la première fois. » Le pauvre Meyer, illettré à un point fabuleux, et qui se promenait sans doute ce jour-là dans les loges avec une pacotille de lorgnettes, nous fournit la preuve que, pour le peuple, il n'y a pas d'autre *Mireille* que la *Mireille* en musique, la *Mireille* de Paris. Non plus que la fruitière du coin, il n'en connaît d'autre, ni ne suppose que les Parisiens en aient connu d'autre, et il place par conséquent en 1864 tout ce qu'il a entendu dire de 1859.

Mistral retrouva l'année suivante Jeanne Detourbey au château de Belleau, dans la Drôme, où Bravay, le nabab d'Alphonse Daudet, recevait d'une manière orientale et dorée, et où Mistral passa huit jours. Il paraît qu'on pressait alors Mistral de se fixer à Paris, qu'elle l'en détourna, qu'elle le détourna aussi de l'aimer. Louise Colet, Jeanne Detourbey, il nous plaît tout de même que des Parisiennes qualifiées aient parfois frôlé la destinée du poète de Maillane.

Tout se retrouve : le monde est si petit ! Jeanne Detourbey devint plus tard la comtesse de Loynes. Elle contribuera, trente ans après l'avoir connu, à faire entrer Mistral dans sa Ligue de la Patrie française. C'est à cause d'elle que nous trouvons dans les *Impressions de Théâtre* de Jules Lemaître un article sur la *Reine Jeanne*. Et c'est d'elle que, le 20 février 1912, Mistral écrit à Meyer : « Dans mes derniers voyages de Paris, je fus plus d'une fois convié à sa table, parmi tous ces illustres dont vous citez les noms ».

J'aime cette filière: la *Mireille* de l'Opéra-Comique, la *Magali* des pianos, Arthur Meyer, la chronique parisienne, tout un sous-produit mistralien qui montrait à Mistral ce qui l'attendait s'il ne fût resté Provençal en Provence, s'il n'eût, à la table de Paris, décliné le plat de lentilles, que passait, dans un grand style, le maître d'hôtel Meyer.

CHAPITRE HUITIÈME

Il y a deux grands signes sur Mistral : le signe de *Mireille* et le signe de *Calendal*, et s'il fallait, pour placer Sainte Estelle, choisir entre eux, c'est sur *Calendal* qu'on devrait mettre le point d'or, l'étoile. Voyez dans *Calendal* le poème du mistralisme en tant que force d'institution. Mistral appartient au type des Méridionaux instituteurs, fondateurs, législateurs, un Napoléon, un Cambacérès, un Bonald, un Auguste Comte, un Gambetta, un Maurras. (Ajoutez-y, si vous voulez, Tartarin à Port-Tarascon, Ciceron Franquebalme et ses aqueducs romains.) Il pourrait faire sienne cette parole de l'Empereur en route vers Sainte-Hélène : « J'avais le goût de la fondation et non celui de la propriété. » Toute sa fortune a passé à des fondations. Sa maison elle-même doit devenir, après la mort de sa veuve, la bibliothèque de Maillane. Quand, en mai 1859, il débarque de Paris couvert de gloire, il ne se met pas seulement à écrire *Calendal,* mais à le vivre : le Félibrige a une tâche, et les félibres ont un chef.

Les premiers statuts du Félibrige sont établis aux Jeux Floraux d'Apt en 1862 : sept sections de sept membres, sauf la section avignonnaise, qui est de deux fois sept membres, un chef qui s'appelle le Capoulié, et qui est Mistral, un chancelier qui est Roumieux. En 1864, Roumanille peut écrire à Gaut : « Ce n'est pas pour rien qu'il (Mistral) est président des félibres et qu'il a le sceptre en main. N'oublie pas, mon cher ami, qu'il n'est pas un roi à la façon de ceux qui règnent et ne gouvernent pas. Il règne et il gouverne. Quant à moi, je ne suis plus qu'un vieux général en retraite. » Une délicieuse retraite d'ailleurs : Roumanille, qui s'était cru longtemps la vocation du célibat, avait reconnu en Sainte Estelle, aux Jeux Floraux d'Apt, qu'il s'était trompé. La lauréate du concours de poésie était la félibresse Rose-Anaïs Gras, qui devint Mme Roumanille et tint avec son mari la librairie de la rue Saint-Agricol. Le bon Rouma et Ana furent le couple populaire du Félibrige. Et Rouma, fort occupé maintenant de ses naissances et de son commerce, laisse à Mistral tout l'*imperium* félibréen : « Nous avons tous, tant que nous sommes, des concessions à faire à Mistral, qui a la haute main sur tout cela, et que je laisse faire les yeux fermés, car il fait et sait admirablement ce qu'il fait. »

Que fait donc Mistral, en dehors de ses poèmes? Car ses poèmes, un en sept ans, c'est une fleur sur la journée, ce n'est pas la journée. Le soir, de sa promenade, il rapporte deux ou trois strophes, dont il pourrait dire, comme disait du lièvre le chasseur de Paul Arène, non : « Je l'ai tué! » mais : « Je l'ai cueilli! » Toute sa journée, il pense aux deux grandes tâches : une langue, un peuple.

Non une langue ou un peuple à créer. La langue provençale existe, Mistral ne l'a pas, comme on l'a prétendu, fabriquée. Et c'est pour le bon peuple du Midi que paraît chaque année l'*Armana*. Mais cette langue, ce peuple, il faut les défendre et les illustrer, leur apporter conscience et fierté.

La langue d'abord. Le triomphe de *Mireille* n'a pas désarmé les patoisants.

Au contraire. Le gros du travail félibréen consiste toujours à imposer, ou plutôt à faire accepter l'orthographe commune, rationnelle, phonétique, qui exercera sur tous les dialectes d'oc une influence fédératrice : « La langue provençale, disait Roumanille, n'est pas plus à Aix qu'elle n'est à Avignon, à Arles ou à Saint-Rémy ! Elle est en Provence, et l'écrivain provençal doit renoncer aux formes de son pays, de *soun nis*, si elles sont vicieuses. » Ceux qui, cherchant à établir le bilan du Félibrige, le trouvent fort léger dans la main, ne doivent pas oublier qu'il a au moins réussi dans cette tâche modeste, nécessaire, et que l'*imperium* dévolu à Mistral n'y a pas nui.

En 1861, en pleine création calendale, Mistral écrit à Bonaparte-Wyse : « Dieu m'a fait naître aux champs et me tient là pour que je ne m'occupe que de la chose qui est mon rôle en cette vie, je veux dire la réhabilitation de notre langue rustique et sa restauration (poésie, dictionnaire, publications diverses). Je m'en donne à cœur joie, je tire ma charrue comme un enragé taureau sauvage. Il faudra que je crève de bonne heure, ou que la terre s'entr'ouvre, et que la nationalité de mon pays en sorte, jeune et fière. » Il écrit *Calendal*, il a mis sur le chantier l'énorme tâche du *Trésor du Félibrige*. Il entretient une vaste correspondance. Cette charrue, qu'il tire comme un enragé taureau, c'est la vie active de l'instituteur, du fondateur, qu'il va mener sans défaillir pendant un demi-siècle encore, comme son père s'est donné, le même laps de temps et sur cette même terre, à la chose agricole, son rôle à lui en cette vie.

Mais la défense et l'illustration de la langue provençale est-elle un tout qui se suffise, comme celle de la langue française pour la Pléiade, ou bien fait-elle sa partie dans le grand œuvre de la restauration provençale par le fédéralisme?

Que Mistral, à cette époque, soit devenu fédéraliste, on n'en saurait douter. Alors il lance *la Comtesse*, hymne violent du fédéralisme provençal, et où il y a jusqu'au coup de corne de l'enragé taureau sauvage — *li biou !* — D'ailleurs, dès 1863, il écrivait à Bonaparte-Wyse : « Si le cœur de nos vaillants amis avait battu à l'unisson du mien sur la question provençale, nous aurions accompli peut-être quelque chose. Nous aurions préparé, accéléré le mouvement fédératif qui est dans l'avenir. Non pas que j'aie l'idée niaise de rêver une séparation de la France. Les temps futurs sont à l'union et non à la séparation. Mais aussi et surtout ils sont à la liberté, à la liberté des races, des individus dans l'harmonie. »

Nous sommes loin, évidemment, de la thèse de droit administratif de 1851. Mais c'est qu'autour de Mistral le temps a marché depuis 1851. En dix ou douze ans, le mot fédéralisme s'est mis à signifier quelque chose, un courant d'idées s'est grossi, une école s'est formée, à laquelle Mistral apporte son alliance.

Le terme de fédéralisme a deux sens : l'un où Mistral est un peu gêné, le fédéralisme du *non*; l'autre où Mistral est vraiment chez lui, le fédéralisme du *oui*.

J'entends par fédéralisme du *non* le fédéralisme qui est contre quelqu'un, ou quelque chose : en France, contre la centralisation. Nous avons vu combien ce fédéralisme était indifférent à l'étudiant en droit de 1851. Quand Mistral nous a

pour honorer Mistral, ne lui en demandera jamais autant.

Quand le fédéralisme anti-centraliste apparaît-il chez Mistral? Seule la connaissance de sa correspondance permettra un jour de répondre avec sûreté. En attendant que s'ouvrent les cartons d'Avignon, nous pouvons supposer avec vraisemblance une date très proche de 1860. Il faudrait attribuer ici de l'importance au livre de l'érudit aixois Charles de Ribbe sur le patriote provençal Pascalis. Il est de 1861, et fit sur Mistral une impression profonde, une impression dont on sent encore le mouvement un demi-siècle après, quand, en 1913, à Aix, reçu solennellement dans la grande salle du Parlement de Provence, il tient à ce que son premier mot soit consacré à la gloire de Pascalis. Le *Non* ! de Pascalis devant le sacrifice des libertés provençales, Mistral le tient désormais pour un mot d'ordre, qu'il mettra en valeur chaque fois qu'il le pourra, et qui fait explosion lyrique dans le poème de la *Comtesse*.

Quoi qu'il en soit des idées qu'il professait *in petto*, Mistral, aux Jeux Floraux d'Apt de 1862, première grande manifestation officielle et institutrice du Félibrige, ne fait pas la moindre allusion, dans son grand discours, à des revendications politiques. Il ne s'agit que de la poésie et de la langue. Et plus ou moins, malgré de vagues déclarations isolées, il en ira toujours de même. Il ne ménagera pas les *As resoun* ! aux chevaliers de la Comtesse, à ceux qui s'avanceront, flamboyants de défis inoffensifs, contre le pouvoir central. Mais, pour être édifiés au sujet de son fédéralisme antidécentralisateur, il nous suffit de comparer la précision et l'efficace de son action linguistique et poétique avec le verbalisme presque tout poétique de ses déclarations politiques. Et voilà pour le fédéralisme du *non* !

Mais il y a un second sens du mot, positif, le fédéralisme du *oui*, le vrai fédéralisme mistralien, constructeur, instituteur, le fédéralisme qui fédère, et qui consiste non plus à relâcher des liens, mais à en créer. Non seulement ce fédéralisme s'accorde mieux que le premier au génie communicatif, sympathique et organisateur de Mistral, mais encore il a des causes et une histoire plus précises. Il se rattache à ses amitiés irlandaises et catalanes.

A partir de 1860, on parle familièrement, parmi les félibres, de « Bonaparte » et du *Preïnce*, comme dans *Tartarin*. Il s'agit d'un Irlandais, fils d'un pair d'Irlande, petit-fils de Lucien Bonaparte, qui, un jour de 1859, passant en Avignon, a vu à la devanture de Roumanille un livre écrit dans une langue inconnue, comme l'est, dans la *Chasse au Chastre*, le marseillais. Il s'est informé, a appris l'existence du provençal, ignoré, chez Méry, de Mezzofante lui-même, est parti de la librairie avec *Mireille* sous le bras, a reçu le coup de foudre, s'est précipité à Maillane, a été vu dans les brindes et les félibrées, a ouvert largement sa bourse de milord aux œuvres félibréennes, apprend à écrire la langue, sinon à la parler, et, huit ans après en avoir connu l'existence, publiera un volume de vers, *Li Parpaioun Blu*, où il y a des pièces charmantes, et qui, si nous avions à classer les quelque deux cents poètes de la *Renaissance Provençale*, nous amènerait sans doute à donner à Bonaparte-Wyse quelque chose comme le douzième ou le quinzième rang, ce qui est très beau. Sur la caburle félibréenne, ce Bonaparte du Nord a tenu la place du petit prince

Guilhem. Il descendait par son père, sir Thomas Wyse, d'une famille irlandaise où il y avait eu des « rois ». Sir Thomas avait été ministre d'Angleterre à Athènes, et quand, en 1863, le trône de Grèce devint vacant, Bonaparte-Wyse fut le candidat de Mistral et des félibres. On sait qu'un autre candidat était Villiers de l'Isle-Adam. Les chancelleries ne prirent malheureusement pas au sérieux ces présentations en Sainte Estelle. Le Félibrige ne devait jamais rendre sa visite à la flottante Delos qui, Lamartine *dixit*, était venue une nuit s'annexer au rivage de la Provence. En 1860, Mistral écrit au prince, de l'ami Fitz-Gerald, qui avait un vaisseau de plaisance et qui faisait parler de lui au Parlement anglais : « Ne vaudrait-il pas mieux qu'il vînt avec son beau navire prendre les félibres à Marseille, à Maguelonne ou bien à Port-de-Bouc, et qu'il les conduisît en *roumavagi* au Parthénon, ou bien à Jérusalem? » Évidemment ! Le génie fédérateur du Félibrige aurait dû être incarné par un prince magnifique, qui eût régné à Athènes, et l'existence de Mistral manqua un peu de féerie réelle. Mais il en est de *Calendal* comme de *Mireille*. « Si j'avais aimé

Mireille, je n'aurais pas écrit *Mireille.* » S'il avait vécu une geste merveilleuse à la Calendal, il n'eût pas écrit *Calendal.*

L'événement qui fournit à Mistral son oxygène et son *estrambord* fédéralistes, ce fut la révolution d'Espagne, qui amena en Provence, en 1867, le poète Victor Balaguer et d'autres proscrits catalans. Mistral avait dédié naguère une ode aux trouvères catalans, en souvenir de la fraternité qui unissait avant la guerre des Albigeois les deux poésies et les deux peuples. Ce Balaguer était un révolutionnaire tout lyrique, dévoué à l'Idée catalane comme Mistral à l'Idée provençale, mais à qui manquaient évidemment la pondération et la saine malice du Maillanais. Cette année 1867, tant à Paris qu'en Provence, Bonaparte-Wyse, Balaguer et Mistral, l'Irlandais, le Catalan, le Provençal burent fréquemment à leurs patries respectives et à la fédération d'icelles, comme Tartarin buvait à Alger, avec le *Preïnce,* au Monténégro et à l'amitié franco-monténégrine. Heureuse époque où la Révolution permettait aux poètes de tailler dans le neuf : « Eh, disait Balaguer à Mistral, vous aurez votre tour ; vous êtes destiné à jouer en France un rôle politique important, comme Lamartine et Victor Hugo ! » Bonaparte-Wyse en pensait autant. Vraiment ce petit-neveu de Napoléon, dont le grand-père Lucien avait été le poète de la famille, venait une génération trop tôt ! Son pays, seul des trois, allait réaliser le rêve d'Avignon : devenir un État libre et fédéré. Ne l'aurions-nous pas vu faire, ce Bonaparte, un beau président de la République irlandaise, au temps où Paderewski gouvernait la République de Pologne?

La destinée de Mistral ressemblait à celle de Lamartine au moins en ceci que la campagne catalane pour l'idée fédéraliste était une campagne de banquets : la fédération par les toasts et les brindes. Les 30, 31 mai et 1er juin 1867, Bonaparte, à Font-Segugne, offre aux félibres provençaux et catalans trois jours de fête. Au mois d'août, nouveau banquet, et celui-là est le bon, tout simplement une grande date du Félibrige, puisque les félibres y reçoivent des Catalans la coupe qui est devenue le Graal félibréen, et dont les destinées, comme symbole et instrument de fraternité humaine, n'en sont peut-être qu'à leur aurore Le jour où Mistral la fit remplir par la sainte liqueur de Provence, le Châteauneuf-du-Pape, et la vida, le premier, après le *Chant* nouveau *de la Coupe*, à l'amitié et à la fédération de deux peuples, deviendra-t-il un jour un des anniversaires symboliques de l'humanité?

En 1868, sous le règne éphémère d'Isabelle, comme les proscrits étaient rentrés dans leur pays, ils convièrent les poètes provençaux en Catalogne. L'affluence félibréenne fut modérée. Ils partirent quatre : Bonaparte-Wyse, Irlandais ; Paul Meyer, un israélite parisien, romaniste éminent, de premier ordre dans sa spécialité, absolument ignorant du reste, et dont le nom rappelle au moins que, depuis cette époque, la propagande félibréenne en France et à l'étranger trouvera son meilleur appui dans les professeurs de langue romane ; tout de même deux Provençaux, le *galéjaire* Roumieux, de Nîmes, et celui des trois mousquetaires qui eût suffi, qui éteignait tout, Mistral. Premier voyage catalan de Mistral, odyssée du poète chez les Hespérides ! A Figueiras, que François Mistral, soldat de la République, avait pris en l'an II, et où une messe fut dite pour le père, le fils récita pour la première fois le magnifique *Salut aux*

Catalans. Mais les banquets ne s'arrêtèrent pas là : Wyse, les Catalans et Mistral ressemblaient à ces Lyonnais que j'ai connus et qui, ayant dîné ensemble, se raccompagnèrent pendant trois jours. On rendit en août leur hospitalité aux Catalans, à Saint-Rémy, en des journées de frairie où, pour la première fois (c'est une date), fut conviée la presse parisienne, (envoyée par Millaud, qui était du cru), Monselet, Sarcey, Daudet en tête. A cette fête, il y eut deux surprises : une pluie terrible, bénie des jardiniers, sinon des félibres, la première depuis six mois, et un livre que Sarcey apportait dans sa poche, que personne ne connaissait encore, qui venait de paraître à Paris, et que Mistral tint pour un coup de foudre dans un ciel serein : un des fondateurs du Félibrige, Eugène Garcin, le fils ardent du maréchal d'Alleins, publiait ces *Français du Nord et Français du Midi*, où les poètes provençaux étaient nettement accusés de travailler pour le séparatisme, grief qui allait être repris des années par la presse parisienne. Ce devait être une des raisons pour lesquelles Mistral hésita toujours à s'engager sur la question du fédéralisme français. Le Félibrige avait son Costecalde. Un renégat, dit gravement Roumanille.

La pluie de Saint-Rémy n'était-elle point de bon présage? Mistral se souvint peut-être du dernier mot de son père : « Quel temps fait-il, Frédéric? — Il pleut, père. — Eh bien ! il fera beau temps pour les semailles ! » Quelques semaines après le banquet des Catalans et des Provençaux, Isabelle tombait, Balaguer devenait gouverneur de Barcelone, homme de confiance du maréchal Prim. La Cause allait donc triompher? A la fin de 1869, Balaguer est envoyé à Berlin porteur d'une missive confidentielle du gouvernement espagnol. Il s'agit de continuer les pourparlers qui proposaient la couronne d'Espagne — et donc de Catalogne — au prince de Hohenzollern. Le temps était en effet aux semailles : celles des dents du dragon !

CHAPITRE NEUVIÈME

MISTRAL, né à peu près avec la monarchie de Juillet, a vécu sous quatre régimes, dont plus de la moitié de sa vie, quarante trois ans, sous la troisième République. Avec la République, il devient une manière de roi non couronné de Provence. Il est beau que la France, au XIXe siècle, ait honoré comme maîtres et guides trois grands poètes, Lamartine, Hugo, Mistral. Tous trois sur des plans et dans des durées différentes, mais réductibles, en fin de compte, dirait-on, à une même moyenne : Lamartine, à une heure importante, jetant sa lyre dans le plateau des destinées, comme Brumaire y avait jeté l'épée, éclatant sur un Sinaï dans le banquet des Girondins, et qui, après les trois mois au pouvoir, comme le bref aloès d'Hyères, ayant dépensé avec sa prodigalité coutumière tout son capital d'autorité et de rayonnement en quelques semaines, est rejeté aux vingt ans de Calvaire par lesquels il paye les trois mois de l'entrée sous les Rameaux ; Hugo, revenu à Paris par la porte de la République, sorti de la vie par l'Arc de Triomphe, incarnation, racine et symbole du régime nouveau, quinze ans, sur sa colline de l'Ouest, demi-dieu de Paris et Palladium de la France ; Mistral, plus près du sol, du pays profond, des rythmes terriens, calme, et qui a le temps comme les paysans, et, de jour en jour, par une sûre croissance, comme le noyer des champs, devenu symbole d'une race et patron autochtone d'un beau pays latin.

La vie politique de la troisième République, personne ne l'a vécue avec plus de bon sens que Mistral, plus d'accord avec tout ce qui croît, plus de consentement à toutes les formes du bien, à tous les appels de Dieu, étant entendu que le diable aussi porte pierre. Quel est son parti politique? Maillane fait partie de ce petit coin de l'arrondissement d'Arles, où quatre ou cinq communes, qui forment ce qu'on appelle la Vendée provençale, sont demeurées, jusqu'à l'heure présente, à peu près royalistes. La famille du poète est royaliste; il pourrait dire des siens ce qu'il dit du père d'Alphonse Daudet : « Fils de verdet, verdet lui-même, chantant *Vive Henri IV !* et gardant au chevet de son lit une lettre encadrée d'Henri V. » Son neveu, Théophile Mistral, fut longtemps maire royaliste de Maillane. Conseiller municipal, Mistral était élu et votait généralement avec les royalistes. Aux élections législatives, je crois bien qu'il portait son bulletin au candidat conservateur, à la manière des Martégaux, qui ne cherchent pas à paraître avancés, et qui en sont loués tant dans l'*Aióli* que dans l'*Armana.*

Mais, royaliste par tradition, il n'a rien d'un royaliste doctrinaire et militant. Après 1871, il eût vu avec plaisir rétablir la monarchie, plutôt celle des enfants de Louis-Philippe et du drapeau tricolore. Quand l'intransigeance du *goï* l'eut rendue impossible et eut fait la voie libre à la République, il s'accommoda de la République et entretint avec elle des rapports sinon aussi fervents, du moins aussi corrects qu'avec l'Empire.

Il disait un jour à un journaliste du

Gaulois : « Je suis monarchiste ! » Il disait, d'autre part, au député Cadenat qu'il était resté républicain de 1848. Tous deux sont vrais. Il est monarchiste comme il est catholique, parce que c'est la tradition du Mas du Juge, que son père en 1848 votait pour Berryer, comme sa mère l'a guéri du mal fait par les carottes de M. Millet en le conduisant au pèlerinage de Saint-Gent. Mais ces vérités maillanaises et provençales, mon Dieu ! ce ne sont peut-être pas des vérités générales et définitives, et il n'aimait pas en parler à tout le monde. En même temps que Mistral est Maillanais, Mistral est poète. La République de 1848 a été une explosion d'idéalisme et de poésie qui l'a pris à dix-huit ans : il en a gardé le large chapeau sur la tête et la flamme au cœur. Et puis il est devenu, en vieillissant, le contraire d'un révolutionnaire. Il est pour ce qu'on appelle, dans le Tarascon de Daudet, l'État de choses.

La vérité profonde de Mistral, c'est sa nature fédératrice : fédérateur entre les pays, fédérateur entre les opinions. Il y a des gens qui pensent contre, sentent contre, parlent contre, vivent contre. Exactement le contraire de Mistral, qui n'est jamais contre rien, sinon contre ceux qui sont contre.

Mais, avec la nature fédératrice, une nature félibréenne, l'une et l'autre signifiant d'ailleurs, pour lui, même chose. La vie politique de Mistral sous la République est commandée par sa situation de chef du Félibrige et de roi non couronné de Provence. Toutes les opinions politiques sont bonnes quand elles sont naturelles, sincères, qu'elles expriment une face de l'humanité multiple, et surtout quand elles amènent au Félibrige ! Il y a des félibres rouges et des félibres blancs, comme il y a le châteauneuf rouge et le châteauneuf blanc : l'un et l'autre également dans la *Coupo Santo* ! Au félibre blanc qui explique à Mistral que, malgré tout, le Félibrige est lié aux traditions locales, religieuses, poétiques de la Provence, que ces traditions vont et pèsent à droite, Mistral répondra : *As resoun !* Et au félibre rouge qui lui exposera que les précédents du Félibrige sont de gauche, qu'ils ont une origine révolutionnaire et populaire, qu'ils impliquent la haine de Simon de Montfort et de l'Inquisition, que les précurseurs sont l'amiral de Rochegude, député à la Convention, auteur du *Parnasse Occitanien*, Napoléon Peyrat, Fourés, ceux qui ont maudit l'oppresseur, Mistral répondra aussi : *As resoun* ! Toutes les formes du passé apportent leur contribution à l'œuvre joyeuse, au coup de rein du taureau de Camargue sur la terre bénie qu'il laboure.

Quand la *Revue des Deux Mondes* publia la traduction du *Tambour d'Arcole*, en 1868, elle exigea de Mistral la suppression de l'épithète de *grand* donnée à Napoléon, et Mistral, racontant la chose dans une lettre à Mariéton, traite cet organe de vieux laminoir. La *Revue*, qui était libérale, avait ses raisons pour ne pas contribuer en 1868 à la mystique napoléonienne, mais enfin voilà exactement le contraire de l'esprit mistralien ! Les Parisiens qui ont traité le poète de séparatiste n'ont jamais mesuré la profondeur de leur contresens : ce grand traditionaliste, dans le patrimoine du pays français, n'a, au contraire, jamais rien voulu séparer. Cette union facile et puissante des forces de vénération napoléoniennes, royalistes, républicaines, elle est naturelle à un noyer de Maillane ou à un platane de Vaucluse :

n'allez pas la demander à un arbre anémié par la petite politique !

Maillane? Vaucluse? Un autre nom provençal ici conviendrait mieux encore : c'est Gigognan, à condition, bien entendu, qu'on n'aille pas plus le chercher sur la carte que Pamperigouste ni Cucugnan, ni même Tarascon. Toute la fine fleur de sa politique, Mistral l'a résumée dans l'*Ome populari*, qui parut pour la première fois dans l'*Armana* de 1883, et qu'il a reproduit à la suite des *Mémoires*. Le maire de Gigognan, resté maire un demi-siècle malgré onze changements de régime, est un joyeux et intelligent compère, qui reçoit le poète entre un déjeuner succulent et un tendron suggestif, puis, au cours d'une promenade dans le village, lui révèle le secret de sa durée. Pour chacun un mot aimable, un encouragement, une espérance : comme il dit, il joue du galoubet. « Je joue du galoubet, et mon troupeau me suit. » Et, comme cette pratique serait un peu courte sans une sagesse politique, il explique en ces termes au poète son opinion sur la chose publique.

« Tu joues du galoubet : c'est bon à dire... Mais enfin, dans ta commune, tu as des blancs, tu as des rouges, tu as des têtus et tu as des drôles, comme partout ! allons, et quand viennent les élections pour un député, comment fais-tu?

— Comment je fais? Eh ! mon bon, je laisse faire... Car, de dire aux blancs : « Votez pour la République ! » serait perdre sa peine et son latin, comme de dire aux rouges : « Votez pour Henri V », autant vaudrait cracher contre ce mur.

— Mais les indécis, ceux qui n'ont pas d'opinion, les pauvres innocents, toutes les bonnes gens qui louvoient où le vent les pousse?

— Ah ! ceux-là, quand parfois dans la boutique du barbier ils me demandent mon avis :

« Tenez, leur dis-je, Bassaquin ne vaut pas mieux que Bassacan. Si vous votez pour Bassaquin, cet été vous aurez des puces, et si vous votez pour Bassacan, vous aurez des puces cet été. Pour Gigognan, voyez-vous, mieux vaut une bonne pluie que toutes les promesses que font les candidats... Ah ! ce serait différent si vous nommiez des paysans ! Tant que, pour députés, vous ne nommerez pas des paysans, comme cela se fait en Suède et en

Danemark, vous ne serez pas représentés. Les avocats, les médecins, les journalistes, les petits bourgeois de toute espèce que vous envoyez là-haut ne demandent qu'une chose : rester à Paris autant que possible pour traire la vache et tirer au râtelier. Ils se fichent pas mal de notre Gigognan ! Mais si, comme je le dis, vous déléguiez des paysans, ils penseraient à l'épargne, ils diminueraient les gros traitements, ils ne feraient jamais la guerre, ils creuseraient des canaux, ils aboliraient les Droits Réunis et se hâteraient de régler les affaires pour s'en revenir avant la moisson. »

De la galejade, évidemment, et Mistral ne voyait pas plus que vous et moi un Parlement qui fût un conseil municipal de Maillane à trois cents têtes ! Entendons ce langage de poète. Le galoubet du chef joue sur deux notes. Une note négative : laisser les gens tranquilles dans leurs opinions, qui sont toutes bonnes, parce qu'il faut de tout pour faire un monde, même du diable, qui porte pierre, boire un coup de rouge avec les rouges, un coup de blanc avec les blancs. Une note positive : être pour la terre, la terre dans son sens le plus large, ici la terre de Provence, depuis

Arles jusqu'à Vence, le galoubet du maire de Gigognan ne faisant, comme les pipeaux du satyre, qu'un prélude à la lyre, à la grande lyre, celle de *Calendal.*

Toute la politique mistralienne consiste dans l'esprit de Gigognan, le programme de Gigognan. Qui s'écarte de Gigognan s'écarte de la raison, et, comme le juste lui-même pèche sept fois par jour, peut-être verrons-nous Mistral parfois s'en écarter, mais jamais sans un prompt retour aux principes. Le Félibrige, la Sainte-Estelle, le salon de Maillane où défilent les visiteurs, la République du Soleil quand il la parcourt comme un roi pacifique, voilà le Gigognan de Mistral, le royaume où il joue du galoubet et où le troupeau le suit, ou devrait le suivre.

A l'âge de quarante-six ans, Mistral n'avait encore épousé que la Provence. Il vivait avec sa vieille mère dans la petite maison du Lézard. Il avait expliqué jadis à Aubanel qu'il y a tant de beautés sur la terre, particulièrement sur la terre de Provence, qu'il est bien difficile d'en élire une seule. Comme l'olive noire, le pain blond, le vin vermeil, l'aioli d'ivoire et les fruits d'or, les formes pures des corps latins peuplaient avec nombre l'univers harmonieux du Poète. Mais enfin les jours de sa vieille mère étaient comptés. Un roi exige une reine. En compagnie de Mathieu ou d'Aubanel, Mistral alla souvent, dit-il, « le dimanche, dans les villes et villages de l'Arlésie et du Comtat, nous enquêtant des belles filles à marier et tâchant de les voir à la messe ou aux vêpres ».

Y en avait-il trop de belles pour qu'il se décidât ? Et, d'ailleurs, la sagesse politique veut que le roi ne choisisse point son épouse dans ses États. En 1869, il avait voulu épouser une Tournusienne, rencontrée aux eaux d'Uriage, et fille d'une Muse départementale. J'ai sa correspondance en main : elle le traite, le pauvre prétendant, en flirt poétique et ne le trouve pas assez riche. Mais l'indication était bonne et Sainte-Estelle le dirigeait vers la Bourgogne. Aussi, sept ans plus tard, alla-t-il prendre femme à Dijon, Marie-Louise Rivière. Le mariage eut lieu dans la capitale de la Bourgogne, le 27 septembre 1876. Comme il y avait du sept dans le jour, dans le mois et dans l'année il devait recevoir toutes les faveurs de sainte Estelle, et il fut en effet parfaitement heureux. Roumanille et Alphonse Daudet étaient les témoins de l'époux. Pour *benedicite*, Roumanille lut une dépêche de l'archevêque d'Avignon. Félix Gras, Roumanille, Mathieu, Roumieux, Bonaparte-wyse, lurent des chants nuptiaux. Et, afin que tout allât *ad majorem Provinciæ gloriam*, on refit, dit Mistral, « par la Muse et le Clos-Vougeot, le vieux royaume d'Arles », celui du roi Boson. Le roi Boson étant de la partie, Lamartine en fut aussi, puisque les mariés s'en allèrent coucher à Mâcon, et le lendemain firent à Saint-Point le pèlerinage du tombeau du poète, à Milly celui du lierre. Pour le nouveau ménage, Mistral fit bâtir, à Maillane, proche de la maison où demeurait sa mère, la maison neuve, blanche dans le jardin vert, qu'habite aujourd'hui Mme Mistral, et qui, léguée à la commune de Maillane, restera pour les siècles un des lieux saints de Provence.

Ce n'était pas un hasard si le mariage de Mistral suivait à quatre mois de distance la réorganisation du Félibrige, et son statut définitif, promulgué à la Sainte-Estelle du 21 mai 1876, en Avignon, dans la salle gothique du chapitre des Chevaliers de Rhodes, à l'hôtel du Louvre, dont le patron était Anselme Mathieu. Cette année marque dans la vie du poète une manière de col, de plan médian, d'entrée définitive dans sa fonction de chef, de prince du peuple provençal, de délégué de la Provence auprès des puissances de l'esprit et de celles de la chair, d'empereur du Soleil. Le Félibrige, né des réunions de 1854 et du mythe de Font-Segugne, a fructifié, s'est épanoui, est devenu sinon une grande chose, du moins quelque chose. Il a une matière à travailler, une destinée à tenter. Ce mot : la *Cáuso*, prend, comme un fruit qui mûrit, sa substance et son poids.

La constitution félibréenne de 1876 est presque contemporaine de la constitution républicaine de 1875. Ni l'une ni l'autre n'ont sensiblement changé, et à l'usage elles se sont révélées solides, souples, pratiques. Chaque dialecte de la langue d'oc est constitué en maintenance, dirigée par un syndic, chaque maintenance en écoles, gouvernées par un *cabiscol*. Cinquante félibres majoraux, élus par cooptation, forment le Consistoire, assemblée directrice du Félibrige. Tous les sept ans on nomme le président de la République félibréenne, qui porte le nom de *capoulié*, et on lui adjoint un chancelier, sorte de secrétaire perpétuel, poste sur lequel Mariéton fut seul à jeter de l'éclat : Mariéton est le Chancelier, comme Caton était le Censeur. A la Sainte-Estelle septénaire ont lieu les Jeux Floraux, dont le lauréat choisit la reine du Félibrige, nommée pour sept ans elle aussi. Il faut admirer sans réticence la constitution à la fois poétique et pratique de cette République de poètes et de mainteneurs de la langue. Avec ces beaux noms tous choisis par Mistral (le *capoulié*, par exemple, c'est un mot du langage pastoral, qui signifie le chef du troupeau), avec ces fêtes pleines de sens, de vie et de symboles, avec l'admirable chant de la Coupe, qui fait communier les cœurs dans l'*estrambord*, état de grâce félibréen, avec cette souveraineté septénaire de la jeunesse, de la beauté et de la poésie, avec tout ce plein air qui était l'élément de Mistral, ce soleil qui était son empire, la République félibréenne reste, comme l'épopée provençale, comme le *Trésor du Félibrige*, comme le *Museon Arlaten*, une des grandes et durables créations du poète. Je sais bien : elle tombe aujourd'hui quelque peu en sommeil. Mais les cadres subsistent. Le Félibrige n'a sans doute pas achevé ses destinées. Un animateur de génie en ferait une des belles républiques françaises. En Suisse ou en Allemagne, quel parti n'en tirerait-on pas !

Il y a une manière d'État félibréen, de royaume de Mistral, en Sainte-Estelle bien entendu. Mistral lui a même donné un nom : l'Empire du Soleil. Mais un géographe, ami des précisions, demandera peut-être : Quelle est la capitale de cet empire? Et quelles en sont les limites?

Mistral n'a jamais voulu désigner de capitale. Il avait ses raisons. Marseille? Une ville méditerranéenne, mondiale, française, italienne, autant et plus que provençale. Et puis, du point de vue félibréen, Marseille, depuis Gelu jusqu' Marin, a toujours été un centre d'oppc sition. Aix, la capitale historique de la Provence? Mistral n'aimait pas Aix, il y venait rarement (deux fois comme juré aux assises, plutôt au café où il passait son temps, car le procureur le récusait toujours); il tenait, avec le proverbe, que son Parlement, — *lou marrit Parlement d'Ais*, dit-il dans les premiers *Armana*, — avait été un des fléaux de la Provence, le seul des trois dont le diable n'eût pas porté pierre ; il lui reprochait la démolition du palais des comtes de Provence, la mort de Pascalis, je ne sais quoi encore ; et si Aix est devenu une cité de poètes, si, depuis cinquante ans, elle est la ville de France qui en a le plus fourni, encore se trouve-t-il que presque tous ont été des poètes français, ont tourné le dos au Félibrige, et que sur les Alpilles le Lion d'Arles en fronce le sourcil. Avignon? Évidemment, Avignon est le berceau du Félibrige, mais un berceau comme celui d'Hercule, où une mauvaise destinée a envoyé deux serpents pour l'étouffer, celui du cléricalisme, qui s'acharna contre la poésie d'Aubanel, et celui du radicalisme ou du pourquerysme, longtemps hostile. Avignon, c'était parfait quand on le voyait de Maillane et qu'on y venait en félibrée ; moins beau quand il fallait, comme Roumanille et Aubanel, y rester exposé aux cafards et aux cancrelats. Arles? La ville de Mistral, oui, le chef-lieu local du Maillanais, le siège des grandes panégyries mistraliennes, et c'est là qu'il a établi le Musée Arlaten. Mais Arles est un grand village, et l'on ne conçoit au Félibrige qu'une capitale intellectuelle. Une ville universitaire ferait peut-être l'affaire. Toulouse, alors? Mais l'Académie des Jeux Floraux n'a-t-elle pas trahi, sous Louis XIV, en renonçant à la langue de Clémence Isaure? Pourquoi pas la grande Université d'entre Languedoc et Provence : Montpellier ?

A l'époque où les nouveaux statuts du Félibrige étendent ses horizons et lui proposent un rôle œcuménique, Mistral et ses amis prennent l'initiative de fêtes latines, où l'idée fédératrice, naguère esquissée par les amitiés catalanes, rayonnera sur les peuples du Midi qui parlent les langues sœurs. En 1874, un comité que préside Aubanel et dont Roumanille et Mistral sont les vice-présidents, organise en Avignon de grandes fêtes pour le centenaire de Pétrarque. On est alors en pleins préparatifs de restauration monarchique, Henri V paraît probable, Avignon est aux blancs (pour un an encore), le préfet de Vaucluse et le maire d'Avignon, l'un et l'autre henriquinquistes, collaborent ardemment avec les Félibres. Les fêtes, en juillet, furent un succès : présence de l'ambassadeur d'Italie, jeux floraux, banquet à Vaucluse, messe solennelle sur la place du Palais des Papes. Mais fêtes blanches, et qui supposaient un Pétrarque blanc! Les rouges se consolèrent en lisant des lettres éloquentes où Garibaldi revendiquait Pétrarque comme anticlérical, et où Victor Hugo saluait « cette vaillante démocratie du Midi qui est comme l'avant-garde de la démocratie universelle et à laquelle le monde pense toutes les fois qu'il chante *la Marseillaise* ». Aujourd'hui, cette année 1930, dans Avignon, droite et gauche se disputent pareillement la mémoire de Mistral, ont même songé à célébrer son centenaire l'une contre l'autre ! Rien de nouveau sous le soleil du Midi.

En 1875 et 1878, ont lieu, toujours autour du feutre de Mistral, les fêtes latines de Montpellier, et voilà où Montpellier joue son rôle. C'est un professeur de sa Faculté des Lettres, Saint-René Taillandier, qui, en 1852, introduit les *Provençales* devant le public. Il est vrai que vingt ans après, en vieillissant, il était devenu, dans la *Revue des Deux Mondes*, l'aigre et prudhommesque censeur des Félibres, et qu'il levait, à leur occasion, lui aussi, son parapluie contre le danger séparatiste. En 1869, une Société des langues romanes avait été fondée à Montpellier, qui eut bientôt sa revue, et dont l'animateur était le baron de Tourtoulon. Le programme : « Établir, d'une part, dans la plus ancienne et la plus célèbre capitale scientifique du Midi, un centre pour l'étude comparée des langues romanes ; servir, d'autre part, le mouvement de renaissance littéraire, qui, sous le nom de Félibrige, est parti de la Provence et des bords du Rhône. » La Société des langues romanes, avec quelques organisateurs très allants, organisa en 1875 des jeux floraux, dont les présidents étaient Mistral et Egger, les vice-présidents, Gaston Pâris, Michel Bréal et Paul Meyer. En 1878, à Montpellier, nouveaux jeux floraux, mêlés d'ailleurs à des concours de tir et de musique, et dont le principal intérêt félibréen consiste dans la mise au concours d'un *Chant du Latin* entre tous les poètes des sept langues romanes : française, provençale, catalane, espagnole, portugaise, italienne, roumaine. Le prix est obtenu par un poème roumain, de Vasile Alecsandri. Pour le cas où aucune œuvre n'eût atteint le génie ou l'*estrambord* suffisant, Mistral avait écrit l'*Ode à la Race latine*, qui est magnifique, eût sauvé l'honneur et permis de décerner le prix.

Les fêtes montpelliéraines, bien organisées, échauffées alors par l'enthousiasme catalan, n'eurent guère de lendemain. Mais le belvédère du Peyrou nous permet de reconnaître, sur la terre ou dans les nuages, certains contours de l'Empire du Soleil.

Il y a d'abord cette présence des philologues : Egger, Pâris, Bréal, Meyer, autour de Mistral, par laquelle le provençal apparaît une affaire de romanistes, ce qui amènera, hors des frontières de l'État français, une sorte de majoration et de privilège en sa faveur. Dans la plupart des grandes universités d'Europe et d'Amérique, il y a une chaire de langues romanes, consacrée à la fois aux sept langues modernes issues du latin, et où le provençal et le vieux français vont *pari passu* avec le français d'aujourd'hui. L'intérêt philologique du provençal, la renaissance contemporaine de sa littérature, des illusions germaniques sur les possibilités de fédéralisme ou même de séparatisme français, ont mis en faveur dans les universités allemandes la langue de Mistral. On a assisté longtemps en France à la descente périodique d'un encombrant *Herr Professor* du nom de Koschwitz, qui n'était pas du tout un mauvais homme, que Mistral accueillait toujours courtoisement pour sa *Grammaire de la langue des Félibres*, son édition scolaire de *Mireille*, et les services réels qu'il rendait au provençal, mais que les moins patients fuyaient pour son volume encombrant, son ton péremptoire, son indiscrétion et sa marche dans les plats. Il représentait officiellement ce romanisme du dehors. De leur côté, de bons félibres s'imaginaient et s'imaginent encore que ces chaires de langues romanes, où l'on enseigne occasionnellement le provençal, sont des chaires de provençal, et ils prennent le ciel et la terre à témoin de l'injustice de la France, qui ne lui en accorde pas autant. La vérité est, au contraire, que ce n'est qu'en France que des chaires universitaires sont consacrées exclusivement à la langue et à la littérature provençales. L'influence et la propagande des philologues parisiens présents aux Jeux Floraux de 1875, surtout celle de Bréal et de Pâris, y a fortement contribué.

Il y a ensuite la fraternité latine, les panégyries de la latinité, qui, entre 1874 et 1880, viennent nourrir l'élan félibréen. Mais, tenant à des causes éphémères, elles ne tardèrent pas à s'affaiblir. Ces causes, c'étaient d'abord les relations personnelles des Félibres et des Catalans, qui ne survécurent guère à la génération des Balaguer et des Quintana, et se manifestèrent pour la dernière fois dans le magnifique voyage des Félibres en Catalogne, en 1880, les quatre jours de fêtes au Montserrat, les Jeux Floraux dans le cloître du monastère devant le nonce, les évêques, le gouverneur, l'inauguration de la Coupe remise par les Provençaux en retour de la *Coupo Santo* des Catalans. En second lieu, les Provençaux sont des Français comme les autres, et, après la guerre de 1870, l'antipathie contre l'Allemagne et le germanisme se manifestait dans les diverses catégories de Français par les moyens à leur portée : caresser, au temps du *Kulturkampf*, contre l'ennemi du Nord, l'idée de l'union latine, c'était, chez ces intellectuels méridionaux, généralement catholiques et monarchistes, une manière de donner satisfaction et à leur patriotisme local et à leur patriotisme français.

Quant à l'aire territoriale propre de l'Empire du Soleil, Mistral l'étend à tout le pays d'oc, à l'ensemble des maintenances, de la Gascogne au Dauphiné et des Pyrénées à l'Auvergne. L'impérialisme mistralien transgresserait même volontiers ces limites. L'ancien royaume de Boson, qui allait d'Arles à Dijon, enchantait son imagination. Il en avait fait un rayon de l'étoile félibréenne. Au début du siècle, déjeunant un jour à la Fontaine de Vaucluse, je tombai en pleine félibrée, et j'allai saluer Dom Xavier de Fourvière, que je connaissais. « Mais c'est avec nous qu'il faut déjeuner, s'écria-t-il. — Pas du tout, mon Père. Vous êtes entre Provençaux, je suis Bourguignon. » Ce raisonnement fut repoussé par ce cri unanime : « Eh ! raison de plus, nous sommes compatriotes ! Le roi Boson ! » Comment n'avais-je pas pensé au roi Boson ! Aujourd'hui je serais inexcusable, puisque, dans l'escalier du *Museon Arlaten*, Mistral lui a dédié une magnifique inscription provençale, pleine de pureté, d'ampleur, de beauté lapidaire. (N'oublions pas à ce propos, que Mistral est, avec Racine, auteur de si belles devises latines pour les médailles du roi, le seul de nos grands poètes qui ait possédé un vrai génie épigraphique.)

Comme les légistes du roi de France, mais avec plus de fantaisie poétique, il trouvait toujours une bonne raison pour étendre le domaine et revendiquer une terre. Étant à Naples, en 1891, il reçoit une dépêche des Provençaux de Tunis qui se félicitent de le voir, dans une certaine mesure, rapproché d'eux. Il leur répond que les liens entre la Tunisie et la Provence ne datent pas d'aujourd'hui, car on a exhumé autrefois à Maillane un éléphant d'Annibal, tout entier, avec son harnachement. Outre !

Le 18 avril 1885, se trouvant au Grindelwald, dans l'Oberland bernois, il expliquait à Mariéton que toutes ces Alpes, c'était du domaine provençal, la limite du pays vers le nord. Un cor des Alpes, qui se mit à jouer, si loin qu'il fût du galoubet, lui parut digne d'un sujet de l'Empire du Soleil. Et comme

Mariéton, qui pensait par inaugurations et par banquets, lui faisait souvenir que ce jour même avait lieu le dîner des Celtisants de Quimper, le poète se rendit au bureau de poste et leur envoya ce télégramme, spectre des Alpes qui fédérait jusqu'aux brumes d'Armor l'*extrema Thule* provençale :

Pour toute race résolue,
Le renouveau suit le déclin.
Le cor des Alpes te salue,
Harpe éternelle de Merlin !

1885 ! Justement, cette année, paraît *Tartarin sur les Alpes*, où Daudet croque Mariéton sous la figure de Pascalon. Pascalon, dans ce même Oberland, apporte à Tartarin la bannière. Mistral pensa-t-il ce jour-là que le précurseur de son impérialisme était né à huit kilomètres de Maillane? Se souvint-il de l'arrivée du héros au sommet de la Jungfrau ? Si les mistraliens me reprochent aigrement, comme cela peut bien arriver, de citer ici quelques lignes du *Don Quichotte* provençal, ils risquent de se montrer beaucoup plus royalistes que le bon *galejaire* de Maillane.

« Un peu de fumée, de sourdes détonations montèrent de l'hôtel. On les avait vus, on tirait le canon en leur honneur, et la pensée qu'on le regardait, que ses alpinistes étaient là, les misses, Riz et Pruneaux illustres, avec leurs lorgnettes braquées, rappela Tartarin à la hauteur de sa mission. Il t'arracha des mains du guide, ô bannière tarasconnaise, te fit flotter deux ou trois fois ; puis, enfonçant son piolet dans la neige, s'assit sur le fer de la pioche, bannière au poing, superbe, face au public. Et, sans qu'il s'en aperçût, par une de ces répercussions spectrales fréquentes aux cimes, pris entre le soleil et les brumes qui s'élevaient derrière lui, un Tartarin gigantesque se dessina dans le ciel, élargi et trapu, la barbe hérissée hors du passe-montagne, pareil à un de ces dieux scandinaves que la légende se figure trônant au milieu des nuages. » Le diable porte-pierre, le moqueur dit plus vrai qu'il ne croit, et les Alpes fédérales ne feront pas un jour un trône trop haut pour le compatriote de Tartarin, le poète des amitiés humaines, le Félibre fédérateur.

CHAPITRE DIXIÈME

Quoi qu'il en soit de l'impérialisme mistralien, de l'extension de l'État ou dans le soleil ou dans les brumes, le noyau reste cette Provence, dont Mistral aimait à rappeler qu'en 1484 elle spécifia qu'elle se joignait à la France non comme un accessoire à un principal, mais comme un principal à un autre principal. En 1884, on célèbre à Paris des fêtes félibréennes pour le quatrième centenaire de cette réunion. Il n'y avait guère que la présence de Mistral qui pût y maintenir à la Provence quelque chose de son ancienne figure de « principal ». Cette année même, il publiait l'agréable et pittoresque poème avignonnais de *Nerto*. Et depuis un an, au café Voltaire, quartier général des Félibres de Paris, un livre d'or était déposé, pour recueillir les hommages des écrivains français au poète de la Provence : Victor Hugo y avait écrit sa ligne.

Mistral prononça donc à Sceaux un discours rempli de patriotisme aussi français que provençal, déjeuna, monarque en visite, à l'Élysée, et, dînant en ville chaque soir, y tint avec noblesse son rôle de roi de Provence. L'Académie donna à *Nerto* la moitié du prix Vitet, l'autre moitié allant à Gustave Droz : une chandelle à saint Michel et l'autre à son serpent ! Au retour à Maillane, par un soir de juin, la population accueillit Mistral, dit un journal du Midi, avec des *myriades* de lanternes au bout des perches, des arcs de triomphe, les tambourins, le feu d'artifice et le punch. L'album de Paris, la fête de Maillane, comme c'était beau ! Mais l'envie ne chômait pas. Costecalde était là.

Cinq ou six ans auparavant, Claretie dans l'*Événement*, Henry Fouquier dans le *XIX*e *Siècle*, avaient mené une offensive contre Mistral, qui, selon Fouquier, aurait « rêvé de chasser la langue française des églises et des écoles et de fédérer la Provence avec l'Italie et la Catalogne » ! Tout simplement ! Mais, en 1884, Claretie y allait de sa page dans l'album à Mistral, et Fouquier, qui était candidat aux élections dans le pays d'Arles et avait jugé utile à ses intérêts politiques de devenir président de la Cigale, faisait amende honorable. Le pétard anti-mistralien n'en demeurait pas moins à Paris une manière facile d'attirer l'attention sur soi pendant quarante-huit heures, et Claretie et Fouquier sont des noms génériques autant que les noms d'individus : ils ne meurent jamais.

On les retrouve en 1884 sous d'autres signatures. Joseph Caraguel, Méridional du parti Costecalde comme Garcin et Fouquier, dans un article très violent de la *Revue indépendante*, proteste, au nom, dit-il, du Midi, « contre des tendances qui l'amèneraient à s'exprimer dans une langue sans avenir », présente le Félibrige comme un mouvement séparatiste dirigé par des royalistes et des papistes, un « remous contre-civilisateur », et Mistral comme un sceptique, bien vivant, pratique et rassis, « hâbleur lorsqu'il le faut, et seulement alors ». Le *Figaro*, qui se targue de représenter le pur esprit parisien, voit dans le café Tortoni un Capitole à sauver. Il proteste, le 22 novembre 1884, contre la récompense académique de Mistral, appelle le succès de *Mireille* « une des plus

formidables mystifications dont ait é
régalée la badauderie contemporaine », m
Mistral bien au-dessous de Cladel et d
Pouvillon, le traite de bourgeois dégui
en campagnard romantique, ne voit aucun
objection à ce que « l'Académie de Martigue
couvre M. Mistral de couronnes et que l
société littéraire de Beaucaire le nomm
président par acclamation », mais considèr
« le choix de l'Académie française comm
une véritable désertion, au moment o
la langue française, cet admirable instru
ment de polémique et de propagande, cett
langue claire, vibrante comme le crista
est en train de se fausser par l'invasio
d'un néologisme baroque, où se mêlent le
produits de tous les patois locaux avec de
ressouvenirs mal digérés du vocabulair
gréco-latin de la Renaissance ». Sign
Gallus. Magnard? Mistral, dans une lettr
à Mariéton, prétend que ce Gallus, c'es
Anatole France. Tout de même, doutons-en

Stendhal a écrit en 1838 que, dix an
après l'arrivée des chemins de fer dans le
Midi, le provençal n'existerait plus. I

tait bien pressé, et la grande génération félibréenne est précisément celle qui a poussé avec le chemin de fer, comme la génération actuelle a poussé avec l'aviation. Entre la génération de Mistral et celle de son père, la grande différence est qu'à quelques kilomètres de Maillane se trouve la gare de Graveson, sur la grande ligne du P.-L.-M. Les poètes de Provence ont résisté à l'appel d'air de Paris, où d'ailleurs il faut écrire en français et où ils n'avaient rien à faire qu'à cesser d'exister : Roumanille eut même l'héroïsme de ne jamais y aller, aussi intransigeant sur ce chapitre que sur celui de la traduction française, qu'il se refusa toujours à joindre à ses œuvres. Mais ils ont créé un appel d'air en Provence. Mistral est beaucoup moins allé à Paris que Paris n'est venu à Mistral. Et les rapports de la Provence, ou de la province, avec Paris, les échanges, les disputes, les interpellations, le dialogue, le problème félibréens, provençalistes, fédéralistes, tout cela est multiplié, excité par le chemin de fer qui porte la note à sa dixième puissance. L'empire mistralien du soleil pend à la ligne P.-L.-M. comme le fruit à la branche.

Si l'empire mistralien prend figure seul
ment avec la troisième République, c'e
d'abord, bien entendu, parce que la mat
rité du poète, son entrée dans la gloi
consacrée et substantielle coïncident av
l'établissement du régime. Mais c'est aus
parce que la République est devenue d
plus en plus, par la force des choses,
gouvernement de la province. Le transfe
du pouvoir aux parlementaires, qui so
des provinciaux, le régime spécial de Pari
mis en tutelle, l'élection des maires, la pui
sance grandissante des cadres, c'est-à-di
des associations politiques provinciale
ont donné une voix, conféré une autorit
permis des espoirs à la province. Mistra
qui ne trempait pas dans la politiqu
proprement dite, se fit des amis politique
dans tous les partis, surtout dans les part
au pouvoir. Ces patrons locaux, ces parl
mentaires d'avant-guerre, un peu bohème
de l'école de Gambetta, au cheveu roma
tique, à l'enthousiasme facile, au bras lon
pleins d'entregent et de prévenances éle
torales, sympathisèrent volontiers avec l'*es*
trambord félibréen. A partir de l'élection d
Loubet, les hommes politiques du Mid
acquirent d'ailleurs la prépondérance, le

Latins conquirent une nouvelle fois la Gaule, ce qui doit toujours passer pour une victoire mistralienne. Si Mistral est à droite, le diable à gauche (et ni l'un ni l'autre n'est prouvé), le diable de gauche apporte ici une belle pierre.

Cette liaison, cet entretien de l'Empire du Soleil et de Paris, cette importance du P.-L.-M. (Paris-Lyon-Mistral), dont Mistral, personnellement, usait d'ailleurs si peu, cette agitation félibréenne, à laquelle les félibres les plus sérieux voudraient opposer un activisme félibréen, un homme l'a incarné, aux côtés de Mistral, pendant un quart de siècle : Paul Mariéton.

Mariéton était un riche Lyonnais, fils d'un agent de change (catholique et Union générale, l'aristocratie de Lyon), qui, ayant à dix-huit ans découvert les *Iles d'Or*, tomba en enthousiasme, décida de se consacrer à la cause provençale, apprit la langue, entra dans le courant mistralien, consacra son temps et sa fortune à la défense et à la propagande félibréennes, et fonda en 1885 la *Revue félibréenne*, l'année où Mistral lui écrivait de *Tartarin sur les Alpes*: « Tu y trouveras même une petite malice à ton encontre, Pascalon. Mais ce n'est pas méchant. »

Ce n'est pas non plus très vrai. D'une part, et malheureusement, Mariéton n'a pas tenu, comme Pascalon à Port-Tarascon, un mémorial de son grand homme. D'autre part, Mariéton, avec sa nature seconde, n'était pas du tout le premier venu : très intelligent et cultivé, vrai Lyonnais, vrai Parisien plein d'esprit, fécond en mots qu'on répétait et auxquels son bégaiement donnait une saveur de plus, il était devenu, en outre, un vrai Méridional, l'animateur de la Provence. Il se partageait sans cesse entre sa garçonnière de la rue Richepanse, son appartement de Lyon, son château de Saix-en-Bresse, Avignon, Nice, et il pouvait écrire en 1899 : « Le P.-L.-M. est mon domicile depuis quinze ans. » Mieux encore, le P.-L.-M. est sa rue, son boulevard. Il avait reçu la vocation d'agent de liaison, de courrier convoyeur. Il fut pour le Félibrige une ressource incomparable, où l'on reconnaît la ligne de chance de Mistral. Il fallait à Mistral Mariéton, comme il fallait Berthier à Napoléon.

Dès 1864, le *Figaro* avait donné une physiologie du *Monsieur qui conduit Mistral* : « Mistral, modeste, s'efface et se tient en arrière », tandis qu'émine, s'affaire, présente et commande le Monsieur qui... Je ne sais quel était, en 1864, le nom du Monsieur qui... Mais, en 1859, Baudelaire signalait : « Mistral cornaqué par Adolphe Dumas ». Ne confondons pas Mistral avec l'éléphant d'Annibal trouvé à Maillane ! Seulement il fallait à ce souverain de Provence un chef du protocole. Mariéton se donna à cette fonction avec un zèle puissant. A chacun de ses voyages à Paris, Mistral, pris en charge à la gare de Lyon, est installé rue Richepanse, à l'hôtel du Danube, à deux pas de la mariétonière. Son emploi du temps, dîners, enterrements, allocutions, est réglé par l'agenda de Mariéton. En 1887, par exemple, le programme comporte une visite à Barbey d'Aurevilly, des réceptions chez Stephen Liégeard, la comtesse Potocka, la duchesse de Trévise, la baronne de Rothschild, sans oublier Paulus, qui sera présenté à Mistral à l'Eden-Montmartre. Un journaliste se plaint d'être obligé, pour voir le Maître, de se procurer un coupe-Mariéton. Mistral finit pas s'insurger : « Si je m'y prêtais encore un peu, écrit-il à Mariéton, on finirait par dire, et l'on a peut-être dit, que Mariéton a découvert Mistral, comme il a découvert l'abbé Roux et Soulary. »

Quand le patron faisait une observation sur ce ton, Pascalon savait y déférer. Il n'en était pas moins l'homme nécessaire à un provincial qui ignorait tout de Paris, nécessaire à un Provençal en liaison continuelle avec Paris. Mistral tutoyait Mariéton, comme Tartarin Pascalon, et il n'y avait rien là que de naturel, puisque l'un avait trente-deux ans de plus que l'autre. Mais il est remarquable que, seul des hommes de sa génération, et malgré cette différence d'âge comme de génie, Mariéton ait obtenu le privilège de tutoyer Mistral. Sans doute lui fit-il comprendre que cela renforcerait l'autorité du chef d'état-major. Le parti Costecalde, qui ne manqua point chez les Félibres, bien que minuscule, en murmura parfois : « Il a été se marier à Dijon, et, des jeunes félibres, il n'y a qu'un Lyonnais qui le tutoie ! Même chez le Maître, le Midi est sacrifié. »

Mistral estimait tellement les services rendus par Mariéton, par l'irrégulière *Revue félibréenne* (il l'appelait la justice de Dieu, parce qu'elle arrivait toujours tard), que, l'année suivante, en 1888, il fit nommer

Mariéton non grand de première classe, comme à Port-Tarascon, mais chancelier du Félibrige. C'est alors que commence, à proprement parler, la période mariétonienne de l'histoire félibréenne. Après tout, la plus brillante.

Le rayonnement de Mistral est un rayonnement fédérateur. Le premier avec Lamartine il a donné un style à ce que Barrès appelle les amitiés : amitiés françaises, amitiés latines, amitiés internationales. « Ma conviction, écrit-il en 1885, est que le Félibrige porte en lui la solution des grandes questions politiques et sociales qui agitent l'humanité. » En 1887, à la Sainte-Estelle de Cannes, il croit voir dans l'affluence des étrangers en Provence « l'heureux présage des fédérations futures ». Et il ajoute : « Eh bien! rappelez-vous ce que je vous dis : le jour où les peuples célébreront ensemble la grande félibrée de l'union dans la paix et dans la liberté, ceux-là, ô Provençaux, qui auront, comme nous autres, sauvé et fait valoir leurs titres de noblesse auront leur place à table et boiront le vin d'honneur ! Mais ceux qui auront perdu leur nom et vendu leur droit d'aînesse pour un plat de lentilles, ils égoutteront le fond des fioles et racleront les plats ! »

Félibrige fédérateur, fédérateur non seulement dans la paix et dans la liberté, mais dans le soleil, dans la joie, à table, avec le vin d'honneur et la coupe qui circulent ! L'an dernier, quand on célébra à Genève les fêtes du Rhône, Tarascon y envoya la Tarasque. C'est bien. Mais j'entends d'ici le *Rapelas-vous de ço que iéu vous dise !* de Mistral, s'il eût été de ces fêtes, et si les amis eussent organisé en son honneur une félibrée au Creux-de-Genthod. « Tant que les félibres n'auront pas envoyé la *Coupo* au quai Wilson, tant que la Société des Nations exclura tout élément de félibrée, tant que l'ébauche genevoise de fédération des peuples et la littérature de la Société seront marquées du signe du froid, tant que l'âme allègre, la flamme spirituelle, la Sainte-Estelle, la poésie ne tiendront pas dans les amitiés internationales leur place, qui est la première, États-Unis d'Europe, États fédérés du monde resteront de la *regardello* et de l'*es-*

coutello, et ne vaudront pas un *viédase*. »

Pour échauffer ce froid, pour fédérer Riz et Pruneaux genevois, que faut-il? Le Midi, le soleil du Midi. Qu'a-t-il fallu, au Rigi-Kulm? Le Midi, un homme du Midi. C'est le premier chapitre de *Tartarin sur les Alpes*, l'hôtel ranimé, l'Europe et le monde rendus à la joie et à l'*estrambord* par le génie de Tarascon.

« L'élan est donné, tout l'hôtel dégèle et tourbillonne, emporté. On danse dans le vestibule, dans le salon, autour de la longue table verte de la salle de lecture. Et c'est ce diable d'homme qui leur a mis à tous le feu au ventre. Lui cependant ne danse plus, essoufflé au bout de quelques tours ; mais il veille sur son bal, presse les musiciens, accouple les danseurs, jette le professeur de Bonn dans les bras d'une vieille Anglaise, et sur l'austère Astier-Réhu la plus fringante des Péruviennes. La résistance est impossible. Il se dégage de ce terrible alpiniste on ne sait quels effluves qui vous soulèvent, vous allègent. Et zou ! et zou ! Plus de mépris, plus de haine. Ni Riz ni Pruneaux, tous valsent. Bientôt la folie gagne, se communique aux étages, et, dans l'énorme baie de l'escalier, on voit jusqu'au sixième tourner sur les paliers, avec la raideur d'automates devant un chalet à musique, les jupes lourdes et colorées des Suissesses de service. » Le Secrétariat !

Si je me hasarde ici dans cette anticipation mistralienne, qu'autorisent d'ailleurs et le discours de Cannes, et ce premier numéro de l'*Aióli* où l'on retrouve l'esprit de la page de Daudet, et, dans *Calendal*, l'intervention réconciliatrice du héros de la Provence entre les Gavots et les Dévorants, dont Tartarin entre les Riz et les Pruneaux semble la parodie, c'est que, pendant vingt ans, Mistral, par l'intermédiaire du chancelier, entretint sur le boulevard Mariéton, je veux dire sur la grande ligne P.-L.-M., une manière de farandole et de félibrée, comme celle que mène Tartarin du haut en bas des six étages de l'hôtel ; qu'il y établit un Empire du Soleil, ainsi qu'au jour des noces mistraliennes la poésie et le Clos-Vougeot avaient refait le royaume de Boson. Contons cette félibrée et gardons-en la graine !

CHAPITRE ONZIÈME

MARIÉTON devint chancelier en 1888, et, dès l'année suivante, il y a du nouveau. Les Provençaux parisiens, et aussi des gens qui se disaient Provençaux et qui n'étaient pas du tout Provençaux, avaient fondé en 1879 une Société des Félibres de Paris, dont le siège était au premier étage du café Voltaire, dans une salle garnie de bannières, de tambourins (de cigales empaillées, ajoutait-on), avec le député Maurice Faure pour vice-président, puis président, bientôt Mariéton pour secrétaire. Une autre société, les Cigaliers de Paris, était présidée par Henry Fouquier. Comme on le devine, politiciens et arrivistes ne manquaient pas. Mais ce ne sont pas les éléments qui importent, c'est leur mouvement. Ce mouvement, Mariéton s'appliqua à le susciter, à l'entretenir : les visites des félibres provençaux à Paris et des félibres de Paris en province devinrent des événements saisonniers, rituels.

Cherchant autour de Paris, pour leurs sorties, leurs manifestations, leurs cours d'amour, un coin félibréen, les félibres s'étaient décidés, faute de mieux, pour le parc de Sceaux, et pour le couronnement annuel du buste de Florian, poète faiblard et mollement félibréen, qui (sauf une demi-douzaine de vers cévenols) n'avait écrit qu'en français, mais qui était né dans le Midi, et dont l'aimable nom évoquait la saison des fleurs.

La visite de Mistral à l'Exposition de 1889 en juin et juillet fournit au chancelier l'occasion de déployer ses qualités organisatrices. Je mentirais si je disais que ces trois jours de fête plongèrent le Maître dans un enchantement sans défaut. Elles commencèrent par un banquet à l'Hôtel Continental, où il parla, et après lequel, tambourinaires et galoubetiers en tête, en passant par la statue de Gambetta, où le sosie du tribun, Maurice Faure, prononça, dans l'attitude même de l'homme de pierre, des paroles, on se rendit au siège, je veux dire au café Voltaire. Mistral prétendait que Voltaire en provençal signifie sauteur et farandoleur, autant dire farceur, et il avouait à Mariéton qu'il en avait « plein le dos de ces félibres de Paris, et de leurs simagrées républicaines, sectaires, etc. ». Cependant les Parisiens s'ébahissent du funambulesque cortège ; les habitants de la place de l'Odéon, en l'honneur de Mistral, et en holocauste à la devise : *Fen de brut*, ne s'endorment qu'à deux heures du matin.

Le lendemain, fête de Sceaux. Mariéton, assoiffé de grandeurs, est élu, comme Calendal, « abbé de la jeunesse ». Outre ! Un humour non moins débridé lui avait fait choisir, pour présider la cour d'Amour, Jules Simon, qu'on vit entrer dans le parc de Sceaux derrière la Tarasque ! Le soir, le banquet fut présidé par Fallières, ministre de quelque chose. Mistral n'y parut pas et ne vint qu'à la soirée. Les Félibres de Paris, pour qui le poète et son discours étaient inclus dans le prix du repas, murmurèrent : son entrée fut accueillie par des vociférations.

Alors le petit provincial, qui avait besoin, dans la rue, à Paris, de l'homme qui conduit Mistral, mais qui tenait pour sa devise : « Sois humble avec les humbles et

plus fier q ıe les fiers ! » fendit d'un pas vif
le flot des arisiens murmurants, prit d'autorité la place d'honneur et promena un
clair regard circulaire : « Qu'est-ce que je
vois, messieurs, qu'est-ce que j'entends? On
se plaint de Mistral, quand j'ai passé tout
le jour avec vous ! J'ai dû aller me reposer,
ce soir, chez des amis qui m'avaient
invité de longue date. Je les quitte pour
revenir ! Vous vous plaignez de moi !
Mais souvenez-vous bien que, s'il n'y avait
pas eu un Mistral, nous ne serions pas ici,
et sans doute il n'y aurait pas de Félibres.
Et maintenant, mes amis, sans rancune !
Je vais vous chanter la *Coupe*. »

Il attaqua le couplet, et jamais le refrain
ne fut repris avec plus d'ensemble, et d'une
voix plus tonnante. « Je joue du galoubet
et mon troupeau me suit », disait le maire
de Gigognan. Mistral savait emboucher le
clairon militaire quand il le fallait : son
peuple le suivait toujours.

A moins qu'il ne suivît son peuple.
La troisième journée, éminemment mariétonienne, celle des visites aux monuments,
se passa dans une pluie effroyable. On se
rendit à la maison de Victor Hugo, où
Maurice Faure, nécessairement, discourut.

Dès lors, il fallait aller à Passy, devant la statue de Lamartine, où Mistral lut sous le parapluie les strophes qu'il avait écrites à la mort du poète. Il y a de ce côté une rue Jasmin, alors sans maisons, et simple percée dans des planches et des arbres. Le pèlerinage s'y porta, et le coiffeur d'Agen fut loué. L'après-midi, toujours dans des cars de l'Exposition, que Mariéton avait mobilisés pour la journée, et sans que la pluie se ralentît, on partit pour le Pré-Catelan, non pour y boire du lait, mais parce que l'endroit tire son nom d'un troubadour du nom de Catelan, qui y fut enterré ou assassiné il y a bien six cents ans. Il fût sorti du tombeau avec son instrument de musique, comme l'oncle Benoni, si des discours pouvaient vous ressusciter.

Ces fêtes parisiennes, privées du soleil du Midi, rongées par les ambitions, les disputes personnelles et la blague, ce n'était que l'ombre d'une félibrée. Mistral songeait peut-être nostalgiquement à la magnifique Sainte-Estelle de Montmajour, quelques semaines auparavant, à la table et au chant de la *Coupe* dans les ruines de l'abbaye, « au milieu, écrivait-il, d'un grand terre-plein tout fleuri d'asphodèles, la fleur élyséenne, en face de la cité de Constantin, mollement étendue dans le lointain », le capoulié Roumanille applaudi comme on devait le faire aux fêtes d'Eleusis, et l'*Espouscado* « déclamée devant son vrai public, des paysans et des filles d'Arles. » Depuis que Mistral était parti pour Paris, les Maillanais prétendaient qu'on voyait bâiller sur sa montagne le lion d'Arles. Jamais le poète ne retrouva avec plus de joie, à Graveson, la bonne diligence.

A partir de 1891, la descente des Félibres de Paris et des Cigaliers dans le Midi, au commencement d'août, se régularise et prend figure d'émigration torrentielle et saisonnière. Lintilhac a donné cette forte définition : « La Provence est une matière explosible, dont les félibres sont les détonateurs. Leur instrument de percussion est la parole. » Les généraux de cette artillerie sont Mariéton, chef d'état-major; Maurice Faure et Clovis Hugues, intarissables percuteurs; Henry Fouquier, qui en tire profit.

Et, comme à Tarascon les bras de rafataille, une nuée de journalistes parisiens suit (j'entends par nuée une douzaine). L'objet officiel de la descente consiste en inaugurations de bustes et de statues. En 1891, il y en a huit au tableau; en 1894, dix. Le département des bustes est administré par Mariéton.

Comme la délégation tarasconnaise du Club Alpin, la descente félibréenne a sa bannière : bleue à étoile d'or, avec les fleurs de lis de Provence, ce qui fait froncer des sourcils républicains. Elle a son chant, dû à Félix Gras, qui, de Paris à Tarascon, finit par devenir familier au personnel des gares, et qui magnifie le premier pape d'Avignon :

Disoun qu'ero un lapin,
Lou papo ! Lou papo !
Disoun qu'ero un lapin,
Lou papo Clement cinq !

La descente de 1891 devait rester entre toutes fameuse. La félibrée commence à Lyon, où Soulary est baptisé félibre, à la manière de Gorenflot, afin que Mariéton puisse lui inaugurer un buste. A Beaucaire, arrivée inouïe. Mariéton est soulevé par l'*estrambord*, au point de parler au peuple, du haut du balcon de l'hôtel de ville, sans bégayer une fois, dit-il. A Tarascon, fêtes trentenaires de la Tarasque. Les Tarasconnais entendent en profiter pour venger ce totem de leur tribu. Marius Girard lit à la mairie un testament de Tartarin, qui est une réponse à Daudet; un félibre échauffé boit à la mort de Daudet, et des enfants costumés en chevaliers de la Tarasque viennent répéter contre lui une manière de serment d'Annibal. Il n'y manque que Daudet, qui en eût tiré un fameux chapitre. Il est vrai qu'il l'avait écrit un an à l'avance, et sur la mort de Tarascon, au début de *Port-Tarascon*, qui est de 1890, et auquel la manifestation tarasconnaise répondait, ce qui la rend des plus excusable. La chaleur est terrible, orageuse même : le chancelier, qui se tient, comme Pascalon, près de la bannière, reçoit des pierres républicaines, destinées aux fleurs de lis.

A Arles, entrée de nuit, pégoulade, flambeaux, assemblée aux Arènes. Mariéton ne renouvelle pas le miracle de Beaucaire, mais il en fait un autre : « L'immense cuve de pierre était, écrit-il, si sonore cette nuit-là qu'on m'entendait parler dans toute la ville. » Et cela, sa première phrase le méritait bien : « *Arlaten e Arlatenco, li felibre soun countent de vous !* » Aux flambeaux une farandole immense se déroule dans les Alyscamps, entraînant sans doute les morts, toujours comme le galoubet de l'oncle Benoni.

A Martigues, non seulement on inaugure le buste du templier Gérard Tenque, mais on fait la Sainte-Estelle, qu'a organisée un jeune félibre martégal, Charles Maurras. Mistral porte un brinde charmant, il venge les Martégaux de six siècles de brocards, auxquels, d'ailleurs, l'*Armana* se fait chaque année un devoir d'ajouter sa contribution, et souvent par la plume de Mistral. Ensuite, il argue de ses soixante et un ans et de la chaleur pour rentrer à Maillane. Le gros de la troupe repart. A Cannes, toutes les autorités sur le quai, *la Marseillaise* éclate à l'arrivée du train félibréen, d'où descend un félibre, Mariéton. Les autres ont manqué le train. Cela n'empêche pas le buste de Bellaud de la Bellaudière d'être inauguré à Grasse. Sur les plaintes du commerce local, qui trouve que la félibrée manque de ministres, le gouvernement envoie à la hâte Rouvier, qui arrive juste à temps pour discourir à Antibes, à l'inauguration de la statue de Championnet.

Il fallait, en effet, un membre du gouvernement pour rendre des détonateurs à la matière explosive provençale. L'exemple de Mistral avait été contagieux. Paul Arène avait disparu sans prévenir. Les félibres officiels, à la Sainte-Estelle de Martigues, étaient cent. A Nice, ils restaient trente. Il y avait là un dernier buste à découvrir : celui de Ranchet. Au moment de parler, on s'aperçoit que le félibre chargé de prononcer son éloge fait partie des soixante-dix disparus. Pas un des présents ne sait qui était Ranchet. Mariéton occupe le public par une succession d'hymnes russes et de *Marseillaises*, jusqu'à ce qu'un messager, envoyé à la Bibliothèque, lui rapporte un document qui lui permet de bégayer quelque chose. La campagne de 1891 était terminée. D'autres mériteraient d'être contées : l'équipée des Cadets de Gascogne, en 1898, exigerait tout un volume : il faut nous borner.

CHAPITRE DOUZIÈME

En 1891, la descente félibréenne et cigalière vers le Midi, c'est le poème héroï-comique, le *Siège de Caderousse.* Il y a plus sérieux.

L'année précédente, l'Académie française avait décerné à Mistral le prix Jean Reynaud, de dix mille francs. Mistral se considéra toujours comme le simple dépositaire des prix académiques qu'il put recevoir. Il les consacra tous à la seule gloire de la Provence, depuis le premier, deux mille francs, que sa mère lui suggérait d'employer à tapisser la maison du Lézard, laquelle en avait grand besoin : « Non, mère, répondit-il, c'est de l'argent sacré, venu de la poésie, et qui doit retourner à la poésie », jusqu'au prix Nobel, grâce auquel il put loger le *Museon Arlaten.*

Avec le prix Jean Reynaud, il réalise une vieille idée : fonder en Avignon un journal provençal. Ce fut l'*Aióli*, qui, à partir du 7 janvier 1891, parut les 7, 17 et 27 du mois, tirant à trois mille exemplaires, rédigé en grande partie par Mistral, administré et cuisiné par deux jeunes gens, Folco de Baroncelli-Javon et Marius André. Le manifeste de l'*Aióli* était nettement fédéraliste. La pommade à l'ail devenait le symbole succulent de la fédération.

Voutaren per l'óli
Et faren l'aióli,

c'est-à-dire la liaison, le ralliement, l'union, la farandole, comme celle que Tartarin mène au Rigi. Et à l'adresse de quelques journalistes parisiens, Mistral ajoutait : « L'aioli, dans son essence, concentre la chaleur, la force, l'allégresse du soleil de Provence. Mais il a encore une vertu : celle de chasser les mouches. Ainsi, ceux qui ne l'aiment pas, ceux que notre huile cuit au gosier ne viendront pas nous tarabuster autour de lui ! » Avis aux tortonistes, qui, de Magnard à M. Bedel, en passant par le faîte des deux articles célèbres de M. Vandérem sur la descente de 1891, firent toujours le front unique contre Mistral !

L'*Aióli* dura sept ans, mais, bien que tout y fût gratuit, il ne fit pas ses frais. Quand les dix mille francs de l'Académie furent mangés, Mistral mit la clef sous la porte. On ne s'étonnera pas que les Provençaux aient laissé tomber leur journal. Roumanille ne se plaint-il pas que les félibres ne lui achètent jamais de vers ? Et le baron de Tourtoulon d'écrire qu'à quelques exceptions près ils ne paient pas leurs cinq francs de cotisation. Pauvre Provence ! Le Félibrige a toujours tiré le diable par la queue. Il n'a jamais connu d'autres ressources que les générosités de Mistral, de Bonaparte-Wyse et de Mariéton, puis les subsides du gouvernement de la République aux descentes félibréennes, et les bustes fournis gratuitement par les Beaux-Arts (le Félibrige fournissait les discours). En 1893, Mistral donna mandat au chancelier d'obtenir la reconnaissance d'utilité publique, afin qu'on pût léguer à l'occasion quatre sous au Félibrige. Ni quatre, ni un ! Personne, jusqu'à présent, n'a profité de la permission.

La disparition de l'*Aioli* fut d'autant plus fâcheuse que Mistral, qui faisait bien tout ce qu'il faisait, s'y montre excellent journaliste, mêlant avec aisance et saveur la galéjade et l'éloquence. Roumanille avait été, au temps des *Capelan*, meilleur journaliste encore, puis il avait dû cesser, parce que les journaux ne lui demandaient plus rien. Comme un journalisme vivant et dru aurait cependant aidé une prose provençale à se faire ! Mais pas de journalisme sans public. Et le public se dérobe.

Dès le printemps qui suivit son premier numéro, l'*Aioli* publiait une série de lettres envoyées d'Italie par Mistral. Il racontait sans prétention un petit tour qu'il y avait entrepris avec sa femme. A Venise, au moment de monter en gondole, la gondole noire, on lui avait remis une dépêche. Elle annonçait la mort de Roumanille, cinq ans après celle d'Aubanel. Le dernier survivant des grands trois de Font-ségugne n'allait plus continuer qu'un voyage endeuillé.

Le bon Roumanille était cependant sorti de la vie dans un charmant style félibréen. Il était mort doucement, presque gaillardement, entre les images des félibres et des saints de Provence, ayant à la tête de son lit, non à vrai dire le galoubet comme le poète Benoni, mais son cierge de première communion, la pervenche d'or gagnée aux jeux floraux d'Apt par Rose-Anaïs, la maquette du monument de fruits et de fleurs qu'il avait fait élever, il y avait deux ans, sur la tombe de ses parents, les jardiniers de Saint-Rémy. Il dit plusieurs fois à sa femme : « Aïs, tu diras à Mistral, à mon meilleur ami, que j'ai pensé à lui pendant toute mon agonie. » Comme sa main, la nuit, s'agitait, elle lui demanda : « Rouma, qu'est-ce que tu cherches? — Je cherche des mains d'amis à serrer. » Il voulut être encore de l'*Armana* de 1892, et raconta pour lui aux amis un dernier conte: *L'ase, lou mioù e la cabro que se plagnan de pas estre au concours d'Avignoun.* Le dernier morceau d'imprimé qu'il lut fut un article sur la renaissance flamande, et il dit : « Voyez comme les vieilles langues cherchent à se relever ! C'est comme le provençal. » Et, Sainte-Estelle veillant sur lui, le père des félibres n'eut pas à se plaindre, ainsi que l'âne, le mulet et la chèvre. Car il y avait ce jour-là à Avignon un grand concours de musique : tous les orphéons de Provence, et d'ailleurs, défilaient en jouant dans la rue Saint-Agricol, et le tonnerre des cuivres emporta avec lui dans le soleil printanier l'âme en paix du bon félibre.

Et pourtant!... Quand Mistral, sur le cercueil d'Aubanel, avait prononcé, cinq ans auparavant, l'invocation à Sainte-Estelle, Roumanille n'était pas là. La main de l'autre grand félibre d'Avignon, le Félibre de la Grenade, ne figurait pas parmi les mains d'amis qu'il cherchait en mourant. Leur rupture avait été violente, avec des mots irréparables, des vers terribles d'Aubanel, où l'on retrouve la même image, celle de l'araignée, que dans la pièce secrète de Victor Hugo contre Sainte-Beuve. Mais l'amour n'avait point causé leur brouille : c'était, chez ces deux catholiques, la religion ! On écrirait là-dessus le vrai roman de l'ancienne Avignon, de ses rues obscures, de ses dévotions tortueuses, de ses haines de prêtres, de ses guerres sourdes, et dans ce Midi noir, urbain, qui n'a rien de Cucugnan ni de Gigognan, on serait loin de la belle humeur du *Siège de Caderousse*, de la *Campano Mountado* et de Tartarin ! Entre les prêtres acharnés contre les *Fiho d'Avignoun* et les félibres qui les aimaient, l'auteur des *Capelan* avait dû choisir : il avait choisi les prêtres. Mistral, lui, ne voulut jamais prendre de parti dans la querelle, non plus que dans aucune autre. Il ne connaissait en cette matière qu'une politique : la politique du maire de Gigognan. Exactement le contraire de la politique et de la religion avignonnaises.

N'allez pas croire qu'il n'y eut, ou qu'il n'y a encore, dans le Félibrige, qu'amitié et que fraternité ! Si Racine, dans son *Histoire de Port-Royal*, n'avait été contraint à l'hagiographie, il aurait consacré volontiers un chapitre à ce que Nicole appelait les guerres civiles de Port-Royal. C'est précisément après la mort de Roumanille que vont commencer les guerres civiles félibréennes.

Après tout, il ne s'agit pas, dans ces guerres, seulement de querelles communales à Pampérigouste, mais aussi de questions politiques et impériales, très naturelles et actuelles dans l'Empire du Soleil. La principale est une guerre de succession. En 1890, Mistral atteint sa soixantième année. Il n'est point de ceux qui, ayant créé un mouvement, raidissent jusqu'au bout leurs vieilles mains sur les leviers de commande et se récrient contre toute jeune initiative. Ce fils de paysan connaît les lois de la poussée et de la vie. Ce lamartinien sait que ni l'humanité, ni l'action, ni l'esprit, ni le Félibrige ne vivent d'une idée, qu'ils éteignent chaque soir celle qui les a guidés, et que les générations nouvelles manqueraient à leur mission si elles n'apportaient pas des idées nouvelles. Dès 1888 il écrivait au félibre Aude : « La *politique provençale* dont votre lettre me parle est réservée, je crois, à votre génération. Nous autres, qui avons trouvé la terre couverte de ronces et de chiendent, nous avons eu assez de travail pour la défricher avec le feu brûlant de notre poésie. Il nous a fallu ramer contre les préjugés amassés sur la France par trois cents ans d'abandon, et il nous faut louvoyer, non sans peine, entre la méfiance des hommes de progrès et celle des hommes d'autorité, et ménager, depuis les malheurs de la guerre allemande. les soupçons patriotiques de ceux qui ne nous connaissent pas ; enfin il a fallu laisser le peuple bayer, l'une après l'autre, à toutes les dragées politiques. »

Trente ans après *Mireille*, se pose donc naturellement, normalement, la question de la nouvelle génération félibréenne. Les jeunes, de vingt à trente ans, qu'apportent-ils et que prétendent-ils de nouveau? L'heure de Lagalante est passée, celle du Cri de Mouriês est venue. Et Mistral, à son tour, est Lagalante. A l'égard des jeunes, il n'a qu'un programme : leur faire la voie libre, les aider. « Toi, Cri, la jeunesse te pare, tu peux avec orgueil porter les braies du plus fort. »

Mistral ne prenant point part à la bataille, l'Empereur du Soleil rayonnant au-dessus des partis, il va de soi que, dans cet empire comme dans tous les autres, les jeunes ne peuvent manifester, affirmer et s'affirmer que contre quelqu'un. Et fort ! De jeunes félibres, et quelques vieux qui marchent avec les jeunes, trouvent qu'il y a dans le Félibrige trop de banquets, de chansons, de regardelle et de tutu-panpan. Et aussi de mariétonisme. Berluc-Pérussis, qui représente une Provence et un provençalisme sérieux, militants, racinés, à la lorraine ou à la flamande, le contraire exactement de la Provence de Tartarin et de la cavalcade à la Mariéton, enseigne qu'il est temps de passer au régime de l'action. Évidemment. Mais quelle action?

Il y en a trois de possibles, sur lesquelles l'expérience des trente ans passés depuis *Mireille* apporte quelque lumière : une action poétique, une action linguistique, une action politique.

L'action poétique? J'entends par action poétique les récitations, les représentations dramatiques, la poésie en mouvement et en bruit, qui eussent été nécessaires pour pousser hors du livre et de l'imprimé les grands poèmes et les grandes odes mistraliennes, pour donner au peuple de Provence une conscience musicale de sa langue, pour mettre obstacle à ce qu'un bon Provençal, qui voulait faire connaître *Mireille* à ses enfants, la lût dans la traduction du président Rigaud, pour que le théâtre d'Orange restât *lou Cieri*, pour qu'Aubanel en fût le poète, pour qu'on y jouât l'*Arlésienne* traduite en provençal, c'est-à-dire rendue à sa langue naturelle, pour qu'il ne devînt point une succursale d'été de la Comédie-Française et un dépotoir de vers odéoniens. Il y a une vingtaine d'années, j'y voyais jouer le *Polyphème* d'Albert Samain, petite chose contre laquelle je ne nourris nulle haine. Mais je songeais que ce Cyclope d'Odéon y tenait, au pied du Ventoux, la place du *Pastre* d'Aubanel, de la tragédie provençale du Ventoux, détruite par le cléricalisme avignonnais, et qui, si elle lui eût échappé, n'en eût pas moins été privée de théâtre, de public et d'air respirable. Dans les sept de Fontsegugne, oui, il a manqué tout de même un Jasmin !

L'action linguistique? Évidemment, Mistral a fait ici ce qu'il a pu, ce qu'il a dû. Le *Trésor du Félibrige* était pour lui, autant et plus que *Mireille* et *Calendal*, l'œuvre nécessaire de sa vie. Mais quelle tragédie ! Quelle ironie ! Comme le *Museon Arlaten* recueille les meubles et les costumes au moment même où ils disparaissent, le temps où toutes les abeilles entrent dans la ruche, —tous les beaux mots d'oc dans ce dictionnaire vivant, — est celui où ces mots désertent le langage parlé, où le provençal se vide de son vocabulaire propre, où les termes français en expulsent les termes indigènes. La grande ligne stratégique est l'école. Mistral a demandé non qu'on enseignât le provençal à l'école primaire, mais d'abord que l'instituteur ne chassât point de force du parler de l'enfant la langue des parents. Et ensuite, quand le frère Savinien l'eut converti à sa méthode, que le maître pût se servir du provençal pour enseigner le français. Mais demandé à qui? Par qui? Une langue ne peut opérer son redressement, comme l'a fait le flamand, que si le peuple y tient, s'il se met, par ses assemblées et par ses représentants, du côté des mainteneurs qualifiés de cette langue. Rien de pareil dans la France méridionale. Jamais une liste municipale, même à Maillane, jamais un candidat aux élections législatives ne s'est efforcé de gagner des voix par des revendications linguistiques. Jamais la concurrence entre les Frères et l'école laïque n'a été nourrie par un débat de ce genre. Au contraire! Des deux écoles, celle qui se fût montrée favorable au « patois » eût été discréditée. Le peuple du Midi s'est complètement désintéressé de l'avenir scolaire de sa langue. Le prestige de Mistral a introduit un peu de provençal dans l'enseignement secondaire, a suscité des chaires de provençal dans l'enseignement supérieur, c'est-à-dire hors du peuple, et rien que là. Et notons que plusieurs des professeurs qui occupent ou ont occupé ces chaires ne parlent pas provençal, sont parfois incapables de prononcer correctement une strophe de Mistral. L'échec de l'action linguistique était déjà évident en 1890.

Reste l'action politique. C'est de ce côté que va se porter une partie du jeune Félibrige. Mistral, lui, n'avait jamais prétendu donner à l'idée de décentralisation qu'un drapeau de poète, nullement un programme de doctrinaire. Il était pour, et c'était tout. Aux autres de préciser ! Berluc-Perussis, par exemple. L'action dont rêve Berluc ressemble à celle des Flamands. Mais l'action provençale n'a jamais comporté que quelques chefs (c'est le canot des six capitaines de Paul Arène), tandis que celle de Flandre a réussi par ses troupes encadrées, disciplinées, et que là c'est un peuple qui a vaincu. Voici les idées de Berluc, telles qu'il les exposait à Mistral : « Il n'y a que la politique qui passionne notre temps et notre pays. Si les Provençaux avaient pour la Provence la moitié de l'amour qu'ils ont pour les grands mots vides de rouge, de blanc et de bleu, tous les palais scolaires des cinq départements seraient des écoles de langue d'oc. Amouretti n'avait peut-être pas tort quand il me disait que le Félibrige ne deviendrait une œuvre populaire et universelle que le jour où il lierait son sort à une idée politique, bonne ou mauvaise, ou mieux à l'idée fédéraliste. Mais nous sommes bien loin de là. Ce qu'il nous faudrait, en attendant, ce sont des prédications provençales dans toutes les églises, des pièces provençales au théâtre, des chansons et des romances provençales sur les pianos, un bon journal quotidien en provençal, des assemblées où l'on ne chanterait qu'en provençal, et surtout, comme au Canada, des magasins nationaux, où les félibres se serviraient exclusivement. » Bon Berluc ! Entre le chapelier qui vendra neuf francs cinquante ce qu'il appelle un chapeau, et celui qui demandera neuf francs soixante-quinze du même en le nommant *capéu*, soyez bien sûr que le félibre, même majoral, optera pour le premier.

Le programme du jeune Félibrige éclata dans un coup de tonnerre (du tonnerre félibréen, ne nous frappons pas !) au café Voltaire, en mars 1892, et dans un coup de mistral, en juin, à la Sainte-Estelle des Baux.

Le capoulié Félix Gras était allé à Paris, ce qui impliquait le banquet officiel au Voltaire. C'est à ce banquet que fut lue la Déclaration des jeunes félibres, rédigée par Maurras et Amouretti, qui réclamait la liberté des communes, la suppression des départements, l'autonomisme, le fédéralisme, des assemblées souveraines à Bordeaux, à Toulouse, à Montpellier, à Marseille, à Aix, pour régir l'administration, les tribunaux, les écoles, les universités et les travaux publics du Midi. Outre ! Le café Voltaire jugea que les jeunes félibres allaient fort, finit par expulser Maurras et Amouretti, qui fondèrent deux ans après, au café de Madrid, sur la rive droite, l'École Parisienne du Félibrige, avec Amouretti pour *cabiscol.* (De Madrid, puis d'ailleurs : le détail et la chronologie des cafés maurrasiens ne sont connus que d'un ou deux érudits.) Mistral, qui applaudissait toujours aux extrémistes, tant qu'ils se contentaient de paroles, et c'était le cas, approuva le manifeste dans l'*Aióli*, sans se brouiller pour cela avec le café des farandoleurs. Quand il alla, quelques années après, recevoir à Paris la rosette d'officier (il ne l'avait pas encore !) du ministre félibre Georges Leygues, c'est le Voltaire qui offrit le banquet, mais non le café, la liqueur de Frigolet et la bière, que Mistral dut aller prendre au Madrid. La présence réelle du Maître et sa tomate fraîche se partagèrent entre les deux maisons ennemies, d'une manière conforme à l'esprit de Gigognan.

Mais cette guerre de Paris, envenimée et qui se passe dans la fumée des cafés, le cède fort en pittoresque au siège de Cadérousse, à l'épopée tartarine, qui, sur le sol de la patrie, sous le beau soleil qu'on ne charrie pas, se déroulèrent aux Baux, le 6 juin de la même année.

On n'y célébrait pas seulement la Sainte-Estelle annuelle, mais les Jeux Floraux septénaires du Félibrige, où un poète est couronné, et où ce poète couronne la reine, nommée pour sept ans. Marius

André, l'un des rédacteurs de l'*Aióli* et futur biographe de Mistral, reçut la couronne d'argent et choisit pour reine Marie Girard, fille du félibre Marius Girard et future Mme Joachim Gasquet. Puis le banquet en plein air s'ouvrit sur la terrasse magnifique des Baux. Le lion d'Arles rugissait : il faisait un mistral terrible, dans lequel Marius André lança, avec un *estrambord* impressionnant, un discours politique qui répétait en gros le programme d'Amouretti et de Maurras. Et l'*espouscado* du poète se terminait par un toast à l'établissement de la République fédérale des provinces de France.

Mistral avait lu préalablement le discours et l'avait approuvé, parce que c'étaient des mots, de beaux mots. Il planait, lui, il était Jupiter, l'éther supérieur. Mais ceux qui étaient placés dans l'air inférieur, et d'abord le capoulié Félix Gras, ne paraissaient pas contents. Évidemment le capoulié en avait dit bien d'autres : son catéchisme félibréen, publié dans l'*Aióli*, ne le cède pas en illuminisme aux manifestes des jeunes félibres, et la *Comtesse* de Mistral est modérée à côté de la *Dame Giraude* du *Romancero provençal.*

Mais, pacifique dans la vie quotidienne, Gras l'était également par sa fonction, celle de juge de paix, qu'il exerçait depuis longtemps en Avignon. Et républicain, avec cela, rouge du Midi, alors que la politique du jeune Félibrige tirait furieusement sur le blanc. Puis il y avait ceux qui ne voyaient dans le Félibrige qu'une gaie et franche société de poètes (un point de vue qui se défend, celui de l'ancien *Chant des Félibres* de Mistral). Ils protestèrent ; le Consistoire s'assembla et dut déclarer que le jeune lauréat n'avait pas parlé en vraie séance officielle du Félibrige, mais au nom d'un groupe.

A la guerre du Voltaire et à celle de Marius André s'ajoutait, pour émouvoir Avignon, Tarascon et Arles, la guerre de Fortunette. Fortunette s'était introduite dans la vie félibréenne en 1890, à la Sainte-Estelle de Montpellier. Ce jour-là, Mistral, descendant du train, voit arriver une jolie Arlésienne de vingt ans, porteuse d'un gros bouquet, qui lui fait un compliment en provençal et l'embrasse. Excellent début !

Mistral la croit déléguée des félibres, ou des Montpelliérains, lesquels rattachent volontiers le nom de leur ville à l'étymologie latine *Mons puellarum*. Une émanation de la montagne est venue gracieusement au poète, voilà tout. Pour traverser la ville derrière la musique, en cortège, Mistral prend la belle fille à son bras. Personne ne sait qui c'est. Et les Montpelliérains crient de bon cœur : « Vive madame Mistral ! »

Puisque Mistral est là, Mariéton n'est pas loin. Pour s'éclairer, il invite l'Arlésienne à dîner avec le Maître. Elle leur raconte son histoire : du plaisir, des larmes, — histoire moins pure que son visage. Mais en Sainte-Estelle ? Et puis Madeleine à la Sainte-Baume... Mariéton s'écrie : « Eh c'est Fortunette ! », la Fortunette de *Calendal*. Le nom lui reste. Fortunette ne quitte pas les félibres, ni le soir, à la retraite aux flambeaux, ni le matin, à l'aubade. Et entre la retraite et l'aubade? Il eût fallu demander à Mariéton.

Le lendemain, c'est le banquet de Sainte-Estelle, deux cents couverts, toutes les personnalités universitaires, et, autour, la société montpelliéraine. Au milieu des toasts, un billet est passé à Mariéton, que Mariéton passe à Mistral. Fortunette chanterait bien quelque chose ! « Mais certainement, dit Mistral, qu'elle vienne ! » Et là voilà sur une chaise : « Messieurs, vous avez dit des choses divines, mais vous avez oublié quelqu'un, Mireille. J'ai vu ça et je suis venue. C'est moi... » Elle va fort. Elle va plus fort encore quand de la chaise elle monte sur la table, à côté de la Coupe, de la *Coupo santo* ! et qu'elle attaque la chanson de Charloun :

Me pren de moumen de lagno
Que sabe plus mounte sieu,
De sounja qu'a la mountagno
I'a n'a vun que penso à ieu.

Et cinq cents voix, alors, au refrain :

Moun Dieu, se ma grand sabié,
Que parle à n'un bouscatié !

Le *bouscatié* fut pendant deux jours le coquin de chancelier, qui la ramena en Avignon. Fortunette resta populaire entre ces *Fiho d'Avignoun*, auxquelles, à l'heure de l'apéritif, le Pourquery impressionnant de pierre indique, d'un bras tendu, dans la rue de la République, l'itinéraire quotidien ; populaire parmi les félibres, à qui leurs femmes, quand ils leur disaient : « Il faut que j'aille en Avignon ; il y a réunion du Consistoire ! » répondaient : « On le connaît, ton Consistoire ! On ne voit que son chapeau à plumes dans la rue ! » Mistral avait été émerveillé d'apprendre, — indirectement bien entendu, — qu'aux moments d'extrême tendresse Fortunette murmurait : « O mon trésor de Venise ! » Il en concluait à une identité du lion de Venise et du lion d'Arles, pas moins ! Et je crois bien qu'il y a l'exclamation amoureuse de Fortunette, et Fortunette elle-même, à l'origine de ses Vénitiennes, en route pour la foire de Beaucaire, dans le *Poème du Rhône*.

Bien qu'elle ne possédât point précisément la carte d'une maintenance, Fortunette, protégée par la chancellerie, était devenue une personnalité quasi-félibréenne, et les Avignonnais jasaient. Le capoulié, magistrat en outre, n'aimait point cela. Aussi, à la Sainte-Estelle des Baux, où le mistral et l'émotion suscitée par le schisme parisien énervaient déjà l'assemblée, quand les grelots se firent entendre d'un beau landau qui amenait Fortunette, fit-on comprendre à l'audacieuse que la tolérance avait des bornes et que c'était fini. L'honnête Roumanille, que Daudet et Mistral, quand ils allaient de nuit en bonne fortunette à Avignon, se gardaient de réveiller, tenait autrefois la main à ce qu'un curé figurât à tous les banquets félibréens, afin de contenir par sa présence les gaillardises dans de très étroites frontières. Sans doute l'esprit du bon père du Félibrige régnait-il encore, puisque Dom Xavier de Fourvière fut le plus énergique à déclarer qu'on en avait assez de Fortunette, et que le banquet de la *Coupo santo* n'était pas une bordée.

Mais le coup du billet avait réussi à Montpellier. Pourquoi pas aux Baux? On remet un papier à Mistral : « Puisque Fortunette n'est pas digne de s'asseoir à la table des poètes, ne peut-elle pas servir les poètes? Elle voudrait passer le vin de la *Coupo santo.* »

« Brave Fortunette ! s'écrie Mistral. Mais oui, qu'elle vienne ! N'est-ce pas, mesdames, comme la Samaritaine? »

La reine, toute à son joyeux avènement, autorisa. Le P. Xavier, bon sujet, mais simple sujet, comme Bossuet devant la faveur de la Montespan, se tut, résigné. Fortunette passa avec l'amphore de Châteauneuf-du-Pape, eut des sourires, remplit les coupes, se crut nominativement interpellée dans le :

Vuejo à plen bor
Vuejo abord
Lis estrambord
E l'enavans di fort,

et versa l'*estrambord* et l'*enavans*, et tout.

Tout ! Après la *Coupo santo*, on alla faire les jeux floraux à l'abri du mistral, dans une grange qui avait été, cinq cents ans auparavant, une église. Et voici que le diable attaché à l'abbaye de Frigolet recommença (il manque d'invention) le tour de l'élixir du Père Gaucher. Le Châteauneuf agit. Il était du Pape : le pavillon couvrait la marchandise. Et Dom Xavier de Fourvière, transfiguré, ou converti, monta sur une futaille et cria d'une voix tonnante : « Je donne la parole à Fortunette ! »

Fortunette ne la lâcha pas. Elle parla. Elle chanta. Ce fut la journée de Fortunette. Quand les voitures repartirent, son landau fleuri les précédait. La nuit était venue. On passa par Maillane pour boire la limonade. Ce fut Fortunette qui, en propos bien tournés, remercia Mme Mistral.

Mais le lendemain, et toute la semaine, et tout le mois, les journaux d'Avignon éclatèrent. Et la guerre de Fortunette fit rage ! On tenait l'affaire. Ah ! les félibres avaient embouché le clairon fédéraliste ! Ah ! la réaction prenait ce masque ! La presse pourqueryste marcha à l'ennemi, comme les Avignonnais contre Caderousse. Et ce Lyonnais « fortement réac », comme avait dit un jour Félix Gras, ce Mariéton, qui précipitait les félibres vers la droite, et qui était le fortuné de Fortunette, en outre ! Sus au chancelier ! Et qui donc, monté sur un tonneau comme frère Jean, avait donné la parole à la plus scandaleuse des *fiho d'Avignoun ?* N'est-ce pas à ce moment que, dans un journal de Paris, Jean de Bonnefon attire l'attention des républicains vigilants sur le P. Xavier, qu'il signale comme « un moine d'une grande intelligence, personnage d'enluminure, carte à jouer de toutes les réactions, roi de trèfle, roi de pique, roi de France, roi de Provence, souvenir ambulant du fameux siège de Frigolet ». Sur la Montagnette, ne va-t-on pas songer à remettre l'abbaye en état de défense, à donner signal aux deux mille combattants de 1880 ?

Mariéton, qui est Lyonnais comme l'autre était d'Auriol, n'y trouve qu'à rire. Le capoulié, non. C'est une grosse affaire pour le juge de paix du pays. Il fait amende honorable dans le cabinet de Pourquery de Boisserin, se plaint au maire de Gigognan, je veux dire à Mistral, et l'équitable Maillanais le console par le même *As resoun !* qui a déjà servi pour Marius André. Évidemment tout cela n'a pas grande importance. Mais nous sommes en province. La vie intime du Félibrige, c'est une chronique de Pampérigouste. Elle tient à l'histoire d'Avignon, de la Vendée provençale, de Tarascon et d'Arles. N'oublions pas qu'à cette époque, de ces infiniment petits, se forme en province l'esprit républicain, et que la troisième République c'est la province. Qui sait même si, après tout, la troisième République, ce n'est pas le Midi, et si, en changeant, comme le voudrait le jeune Maurras, sa fonction commençante de capitale politique de la France contre une assemblée souveraine languedocienne, Toulouse n'opterait pas pour le plat de lentilles?

CHAPITRE TREIZIÈME

Les contacts, toujours réservés, de Mistral avec la politique ne laissèrent pas de donner des espérances aux partis.

A Maillane, il était compté parmi les conseillers municipaux royalistes : les chefs de la Vendée provençale songèrent un moment à lui pour devenir leur candidat aux élections législatives. Le comte T..., qui en 1880 avait dirigé la mobilisation de la plaine pour la défense de Frigolet, recourut à Mariéton par l'intermédiaire des conservateurs lyonnais, et lui demanda d'insister auprès de Mistral pour qu'il se laissât porter. Le chancelier fortement réac y alla de bon cœur. Mais une lettre de Mistral tomba en douche froide sur ces espoirs conservateurs.

Mistral écarte d'abord comme un bourdon bourdonnant le comte T..., « absolument fermé aux vues et aux choses du

Félibrige », et qui « ne peut comprendre qu'il est des avenirs et des idéals supérieurs à ceux rêvés par le comte d'Haussonville. »

Son opinion, la voici, décisive, et qui rompt pour une fois avec la politique de Gigognan :

« Je ne puis sacrifier aux inanités d'un parti politique usé jusqu'à la corde les quelques années de bonne vie félibréenne que le bon Dieu me réserve. Tant qu'il y avait chance d'avoir une majorité sur le nom d'un titré et d'un bourgeois, on affectait le plus clair dédain pour n'importe quel représentant de la renaissance provençale. Roumanille lui-même n'était pas digne de figurer sur une liste du conseil municipal d'Avignon. Maintenant que tout est perdu, irrémédiablement, pour les conservateurs dans l'arrondissement d'Arles, et qu'on est forcé de reconnaître la popularité de Mistral au-dessus des partis, on voudrait me faire servir de cheval de renfort. Eh bien ! non !...

« Ces braves conservateurs, mais qu'ont-ils fait pour la Cause? Et que feraient-ils au cas d'un retour? Rien, rien, rien ! Eux qui ont l'argent et qui le gardent !

Nous avons fait route avec les pauvres, c'est avec eux qu'il faut rester. C'est eux, du reste, qui ont l'avenir, à coup sûr ! »

Ce Mistral de province y voit clair, et il connaît sa Vendée provençale, et il n'a pas besoin de Mariéton pour se conduire sur les routes de son pays, sous l'œil du lion d'Arles ! Mais quand il s'agit de Paris, c'est différent, et le « monsieur qui conduit Mistral » reprend sa fonction. Arrive l'affaire Dreyfus. En 1898, Mistral, malgré sa réserve ordinaire, se prononce contre Zola, « vraiment néfaste de toutes façons ». Il écrit à Mariéton qu'on a essayé de l'enrôler dans le « syndicat Dreyfus ». « Mais, ajoute-t-il, les Provençaux sont ancrés sur la roche nationale ! » Mistral, à Maillane, a toujours appartenu à la droite du conseil Il fait sa partie le soir dans le café de droite. En 1898, cette situation impliquait des principes sur l'auteur du bordereau. Être dreyfusard serait devenir à Maillane, comme en 1848, peau retournée : cela ne se fait pas. Et puis l'affaire Dreyfus est d'abord une affaire de Paris : le chancelier est compétent pour lui communiquer l'opinion qui convient.

Retourner sa peau ne se fait pas, mais

arborer en militant un drapeau politique, Mistral ne le fait guère. En 1880, avait eu lieu un grand événement militaire, le siège de Caderousse, ou de Pampérigouste, ou, plus exactement, de Frigolet : les conservateurs de Tarascon, de Barbentane, de Boulbon, de Maillane, de Saint-Rémy, sur la Montagnette et dans l'abbaye ; autour de l'abbaye, deux mille hommes de troupe ; le neveu du poète, Théophile Mistral, maire de Maillane, qui ravitaille en pain les défenseurs. Quant à Mistral, il écrivait à Ernest Daudet : «Les Prémontrés attendent comme les autres la signification de vider les lieux. Dimanche je veux aller entendre la dernière messe qui sera célébrée publiquement dans cette abbaye. On est généralement indigné de cet attentat à la liberté, et la République n'y gagnera pas... Mais ce n'est pas mon affaire. » Pas son affaire : surtout pas l'affaire du Félibrige ! Mistral se refuse et se refusera presque toujours à jeter avec lui et par lui l'idée félibréenne dans la bataille des partis, et il ne figure pas parmi les défenseurs de l'abbaye. Quand le préfet de Combes interdira la procession de Maillane, le chant public du cantique composé par Mistral lui-même, les catholiques résisteront, les hussards de Tarascon viendront occuper le village, Maillane se fera mettre, comme on dit, en état de siège, et Mistral écrira à un journal du Midi : « Les Maillanais sont comme le chiendent, plus on les foulera, plus ils se redresseront ! » Mais le jour de la bagarre, comme le jour du siège de Pampérigouste, Mistral reste chez lui. Le lendemain il se conduit d'ailleurs en bon chiendent maillanais. Il va en Avignon acheter un crucifix pour sanctifier sa maison, et il tient la main à ce que nul n'ignore ses dispositions religieuses.

En 1899, quand se fonde la Ligue de la Patrie française, le patron de Mariéton et l'ami de Mme de Loynes y adhéra. « Profondément dévoué à la patrie française parce que Provençal et passionné pour la Provence, je m'unis loyalement à tous ceux qui se dressent pour sauver les traditions nationales de la France. » Qu'en pensa-t-il dans la suite? Peut-être que le Premier Consul de la République félibréenne l'avait trop engagée ? En tout cas, il a fait disparaître des recueils de coupures de presse qui sont aujourd'hui au *Museon Arlaten* les listes où il figurait comme membre de la Ligue. « Qu'alliez-vous faire dans cette galère, monsieur Mistral. — Mais rien ! Parlons d'autre chose. »

L'affaire de Mistral, comme politique, c'est de rendre et de laisser la voie libre, de maintenir une atmosphère favorable aux idées éventuelles et à l'ardeur des jeunes, qu'ils soient de droite ou de gauche, de la Patrie Française ou des Droits de l'Homme. En 1863, il écrivait à Bonaparte-Wyse : « Comme rien d'inutile ne se produit en ce monde, je suis convaincu qu'à un moment donné, de cette semaille littéraire et linguistique, naîtra quelque homme de génie pour en tirer parti. La terre des Mirabeau, des Thiers, des Garibaldi, ne jettera pas toujours au service des voisins la sève généreuse de ses fils. » Sa vie lui apparaissait avec raison comme une réussite admirable. Pour couronner cette réussite, il eût fallu qu'il vît ce Mistral de l'action succédant au Mistral de la langue, de la poésie et des valeurs spirituelles.

Il le concevait comme un orateur et un homme d'Etat. Or, dans cet ordre, le Félibrige n'a rien donné, absolument rien. Des hommes politiques ordinaires, moyens, ou médiocres, s'en sont servis un peu, l'ont aussi et surtout servi. Toutes les fois qu'il a voulu prendre place parmi les camarades de la République, son couvert a été mis, on a bu à sa santé et à celle de Mistral, on lui a passé les cigarettes, les cigares, même les bureaux de tabac. Quelques purs jugent que la République a été pour lui trop bonne fille, qu'un peu de persécution venue de Paris eût arrangé ses affaires, éveillé sa conscience, tonifié la *Causo*.

Si l'on voulait absolument trouver une action née de la semaille mistralienne, l'ironie des destinées nous désignerait non une action provençale, mais l'Action Française. Bien entendu, Mistral, qui n'était royaliste qu'à Maillane, et ne l'était déjà plus à Graveson, n'a pas adhéré à l'Action Française, mais son amitié pour Maurras ne s'est jamais démentie : amitié spirituelle fondée sur des idées, un langage, une terre communes, amitié de cœur pour un vrai et chaud disciple. L'inspiration mistralienne et provençale du mouvement maurrassien ne peut être contestée : c'est un tumulte méridional, né chez ceux que Mistral appelle verdets et fils de verdets, c'est-à-dire blancs du Midi. Il est vrai qu'à un mouvement félibréen rouge, né chez les fils de Rochegude et de Peyrat, il eût apporté les mêmes encouragements.

Mais l'Action Française c'est la politique française. Et depuis la constitution du Félibrige à Fontségugne, sauf un moment lors de l'affaire Dreyfus, Mistral ne prit que peu ou point parti dans la politique française. Elle ne l'intéressait qu'en tant qu'elle retentissait sur la politique générale du Midi, sur la *Causo*.

La grande déception de Mistral, et, il faut bien le dire, son grand échec, c'est que le Midi de tous les partis se refusa toujours à faire entrer dans sa politique, aussi bien à droite qu'à gauche, les revendications félibréennes. Un peuple n'a qu'une manière de s'exprimer, son bulletin de vote, et la République, c'est le gouvernement du bulletin de vote. Jamais on n'a demandé aux Méridionaux leur bulletin de vote en faveur de leur langue, et, si on ne le leur a pas demandé, c'est qu'ils ne l'auraient pas donné. Pierre Devoluy fut porté au capouliérat sur un programme d'action, se proposant d'organiser un vaste pétitionnement dans tous les partis en faveur d'une politique du provençal à l'école primaire. On y renonça bien vite, car la maigreur du chiffre obtenu eût nui durement à la Cause. Tout ce qui, grâce à Mistral, à Mariéton, aux amis parlementaires, universitaires, littéraires, du Félibrige, a été fait en faveur du provençal, est un don de Paris, sollicité par les élites.

Les revendications du régionalisme méridional n'en existent pas moins. Elles sont de deux ordres : sportives et économiques. Le Midi, indifférent à sa langue, a bougé tout entier pour deux causes : ses courses de taureaux et ses vignes.

Li bióu, et, comme il est dit dans le chant de la Coupe, *lou vin pur de noste plant*, c'est dire, aussi, l'âme de la patrie, voilà ce que ceux d'oc ont entendu défendre contre la législation de Paris. Sur ces questions, il eût été difficile que Mistral ne se prononçât pas.

En matière de bœufs, Mistral, personnellement, est contre les courses espagnoles et la mise à mort. Le poète ne chassait jamais qu'aux rimes, et il n'aimait pas voir tuer des bêtes. Les courses provençales traditionnelles sont des courses où l'on ne tue pas le taureau de Camargue, qui est un ami, et quand les anges font sortir Jarjaye du paradis en criant : *Li biòu! li biòu!* ce n'est point pour courir à un spectacle sanguinaire que s'élance le brave Tarasconnais. Cependant, lorsque les Nîmois donnèrent dans leurs arènes leurs grandes courses de protestation, malgré préfet et commissaires, courses de taureaux et de matadors espagnols, Mistral vint, Mistral présida, Mistral se leva comme chef spirituel, drapeau, et sinon panache, du moins large chapeau gris, du Midi brimé, gouverné (pour une fois peut-être !) par le Nord. Ces fêtes qu'il n'aime pas, il n'admet pas qu'on empêche le Midi de les aimer.

En l'absence des autorités qui représentent Paris, il se sent alors chef reconnu et acclamé du peuple méridional, Empereur du Soleil. Images, illusion, regardelle? Hélas ! Voilà tout le peuple du Midi transporté, transfiguré, organisé, félibrisé par quoi? Par les bœufs. Et Mistral à la suite. De ces Méridionaux qui l'acclament de toutes leurs mains, combien lèveraient un doigt, même silencieux, pour la langue de leur pays, c'est-à-dire pour son âme?

Sept ans avant sa mort, en 1907, Mistral put voir cela sur quoi il n'avait jamais compté : le Midi soulevé par foules, d'un élan, et encadré sous un chef populaire, — un régiment de ligne, composé de Méridionaux, qui refuse de marcher, — le gouvernement qui embarque par trains entiers la cavalerie de Lyon et d'ailleurs, le Parlement affolé, le ministre de l'Intérieur, Clemenceau, revivant ses jours de 1871 et de la butte Montmartre. Ce fut le mouvement des vignerons dans les quatre départements du vin : les Pyrénées-Orientales, l'Aude, l'Hérault et le Gard. On était loin des *bióu*, et du tutupanpan, et de la Sainte-Estelle, même de celle des Baux, et de la bataille du Voltaire et du Madrid !

Les deux chefs de la révolution, Ferroul et Marcellin Albert, arrivent à Maillane. Ils demandent à Mistral de se montrer à leur tête. L'Empire du Soleil, du grand soleil qui mûrit *lou vin pur de noste plant*, le moment est venu de tenter pour lui un effort héroïque. Marcellin Albert offre au chef reconnu du Midi l'armée qu'il a soulevée : cent mille hommes. Le cardinal de Cabrières, qui a fait ouvrir au torrent, pour l'hospitaliser, toutes les églises de Montpellier, les soutient. Ferroul, dans le petit salon de Maillane, se met à genoux pour supplier le grand Provençal ; et les activistes du Félibrige sont derrière Marcellin Albert. Que faire?

Mistral a soixante-dix ans. Il n'a jamais pris la tête d'un mouvement politique, à plus forte raison d'un mouvement économique. Quand il a fondé l'*Aióli*, il a proclamé qu'il créait un journal provençal pour défendre la langue, l'âme, la tradition « et même les intérêts » du Midi. Les vignerons se sont levés pour leurs intérêts. Mais à la langue, donnent-ils seulement le « et même ! » de Mistral? Sainte Estelle est-elle concernée? Le royaume de la reine Jeanne intéressé? Mistral, qui n'a pas été s'enfermer dans Frigolet, ira-t-il promener le chapeau gris à Narbonne? Ferroul n'obtint rien, rien qu'un télégramme de sympathie.

Quelques jours après, le pauvre Marcellin, affolé devant ses responsabilités, partait pour Paris, par le train de nuit, en troisième classe, et entrait chez Clemenceau, la valise à la main, une valise de soldat à quatre francs quatre-vingt-quinze. Le Tigre jouait sans pitié de l'homme effondré, et, quand il se leva, eut une trouvaille de génie : « Avez-vous de l'argent? » Le vigneron n'avait pris que l'argent du voyage d'aller. « Non ! — Voilà deux cents francs ! » Marcellin reçut les billets. Il était perdu.

Le Midi le renia. Avoir touché de l'argent de Clemenceau, c'était le coup de fusil de Tartarin au front de la mère-grand. D'ailleurs, le Parlement votait toutes les revendications des vignerons, le mouvement s'éteignait faute de raisons de continuer. Mistral put ajouter un chapitre nouveau à sa psychologie de l'*Homme Populaire.* Dans quelle galère se fût-il embarqué?

Des Méridionaux lui ont reproché de n'avoir pas adressé un signe de sympathie aux soldats languedociens du 17e, envoyés en Afrique à la suite de leur refus de marcher contre leurs pères ou leurs frères, et de les avoir abandonnés aux amitiés et aux défenseurs socialistes. Et il est vrai que le socialisme fut dans le Midi le seul bénéficiaire des événements de 1907. Dépendait-il de Mistral de porter ce bénéfice au compte du fédéralisme? D'ailleurs, si vous voulez tenir là-dessus le dernier mot mistralien, ouvrez les *Olivades*, et relisez l'*Archétype*. Vous verrez comme la politique et lui parlaient deux langues différentes !

CHAPITRE QUATORZIÈME

Deux langues différentes, parce que la Provence de Mistral développait en effet, dans un éther platonicien, une manière d'archétype, un monde fermé, une somme du passé, et que l'ombre de M. de Chateaubriand s'étend jusqu'à Maillane. La Provence, c'est le Génie de la Provence. « Je songe avec envie, dit Mistral, au pâtre des Alpes qui le dernier sauvera quelques mots de provençal, à la grandeur représentative de cet homme, dernier reflet d'un passé de lumière, et à l'admiration respectueuse des foules qui, sans doute, l'iront contempler. » Voilà la formule, et aussi les bornes, du mistralisme. Déjà *Mireille*, son poème de jeunesse, était pour lui une Somme de la vie provençale. Le premier article écrit sur elle, dans un journal de Marseille, en 1858, disait : « La Provence disparaît de jour en jour. Une civilisation uniforme pénètre dans les plus petits villages pour en chasser les coutumes traditionnelles, les vieilles mœurs, les antiques légendes. Mais la Provence ne mourra pas tout entière. Elle se survivra dans une épopée. »

Mistral la fait survivre dans des épopées, *Calendal* et le *Poème du Rhône* après *Mireille*, auxquelles il faut joindre deux œuvres moindres, le joli poème de *Nerto* sur l'Avignon papale, et la tragédie plus pâle de la *Reine Jeanne*. Il la fait survivre dans le grand répertoire des mots provençaux, le *Trésor du Félibrige*, qu'il publie à ses frais, aucun éditeur n'ayant osé s'engager sur cette Somme d'une langue en reflux. Il la fait survivre enfin dans le monument de ses dernières années, le *Museon Arlaten*, dont il dit : « Comme j'ai fait le dictionnaire des choses provençales, j'étais l'homme né pour cette œuvre. » Sommes, répertoires, dictionnaires, musées, Mistral, en avançant dans la vie, se sent de plus en plus la vocation d'un point final — un beau point d'or à forme d'étoile ! Est-ce le Secret de Sainte-Estelle?

D'ailleurs, comme disaient les Grecs, qui sait si la mort n'est point la vie, la vie la mort? Ce musée, qui s'anime sous lui comme un orchestre, l'appellerons-nous seulement un répertoire du passé? « J'éprouve à faire tout ça, écrivait-il à Mariéton, tout le bonheur que Gœthe prête à son vieux Faust aveugle, quand il comble un bras de mer. »

Au Musée, qu'on inaugure en 1899, il a consacré ses quinze dernières années, sans compter son argent. «Oh! monsieur! disait-il à un étranger qui s'émerveillait que cela lui coûtât si cher, l'argent, c'est à la portée de tout le monde! » Aussi tout le monde est-il invité à contribuer. Mistral a l'idée d'écrire à Rothschild. Bien! Seulement voilà : Rothschild n'est-il pas, comme Crésus, un mythe poétique? S'il existe, comme il y en a plusieurs, quel Rothschild est le vrai? Auquel faut-il s'adresser? Il appartient à Mariéton d'éclairer un pauvre Maillanais, et voilà l'utilité du brave chancelier! Il écrit à Pierpont-Morgan, qui ne répond pas. L'Amérique garde-t-elle rancune à Mariéton d'avoir dit à l'un de ses banquiers qui, au théâtre d'Orange, lui demandait combien il faudrait pour avoir là-bas un mur comme celui-là : « Il vous f...faudrait d... deux mille ans! » Boni de Castellane donne cinq mille francs.

Le Midi fortuné est réquisitionné, vermouth Noilly-Prat, cagnotte de Monaco. Et cependant l'on n'aurait pas été loin, si Mistral n'avait reçu en 1906 la moitié du prix Nobel, cent mille francs, qui servirent à acheter à la ville d'Arles et à mettre en état le palais de Laval. Arles, d'ailleurs, ne perdit pas l'occasion d'un excellent marché : toutes les couronnes suédoises furent pour elle, pour ses maçons et ses plombiers, le chiffre d'affaires des « antiquaires » tripla, et le poète, qui en de telles matières, se révéla toujours inhabile, laissa lui glisser dans la main l'admirable chapelle du palais, qui eût fait un musée idéal d'art religieux provençal, ne fut pas comprise dans la vente, et sert aujourd'hui d'entrepôt de sacs à plâtre. Elle contient même un des plus beaux retables du Midi, qu'il fut question d'aliéner. Amis du *Museon Arlaten*, ouvrez l'œil, veillez, réclamez sa chapelle !

Quand Mistral, refusant une candidature législative, écrivait à Mariéton : « Nous avons fait route avec les pauvres. C'est avec eux qu'il faut rester ! » il donnait une devise au *Museon Arlaten.* Il n'y eut pas d'autre don princier que le sien, mais affluèrent ceux des paysans, des petits bourgeois. De là provient la plus grande partie du mobilier et des costumes, aujourd'hui le plus précieux ensemble de France. Avec sa ligne de chance, Mistral créa son musée au dernier moment où ce fut possible. La ruée des antiquaires, l'exportation de la vieille Provence, la spéculation, la contrefaçon allaient commencer. Mistral ne se trompait pas quand il comparait sa mission à celle de Noé, son musée à l'arche provençale d'avant le déluge (il mourut cinq mois avant la guerre). Le déluge de la civilisation mercantile a envahi Arles, qui était encore un musée en plein air à la fin du XIXe siècle, et qui a perdu en vingt ans toute sa belle chevelure de ferronneries et de sculptures.

Pendant quinze ans, Mistral consacra au musée tous ses jeudis. Un jour qu'un académicien faisait en automobile la tournée obligatoire Mistral-Saint-Rémy-les-Baux-Montmajour, le poète, en le reconduisant à sa voiture, disait : « Voilà ce qu'il me faudrait pour aller à Arles ! » Mais, en bon félibre, il faisait route avec les pauvres, c'est-à-dire qu'il prenait la patache maillanaise, montait dans le train omnibus à Graveson, était à Arles vers dix heures, passait la matinée à ses classements et à ses étiquettes, déjeunait à l'Hôtel du Nord, malgré le nom peu félibréen de l'établissement, parfois chez Venissat, ce qui était plus provençal, s'installait à la terrasse d'un café, remplacé aujourd'hui par une banque, y passait une heure avec les amis, signait des cartes postales, retournait au musée, rentrait pour souper à Maillane. Les étiquettes sont en provençal, et de sa main.

La plus grande partie des cinq autres jours ouvrables était prise par sa correspondance. Toutes les lettres qu'il recevait, il leur répondait, les conservait, les classait. Elles sont au musée Calvet d'Avignon. Il y en a cinquante mille, rangées par lui en trois cents cartons, qui s'ouvriront au public cinquante ans après sa mort.

La dernière étiquette à mettre, le dernier classement à faire, concernaient son apparence terrestre. En 1906, il commença, dans le cimetière de Maillane, son tombeau : une copie du pavillon de la reine Jeanne, en belle pierre du pays, portant des médaillons d'Arlésiennes, sans oublier son chien Pan-Perdu, une bête extraordinaire qui avait été, selon lui, déléguée par la

Providence pour le défendre du mauvais sort, et qui sans doute continue. Son musée ! Son tombeau ! Certains pensèrent qu'il ne lui manquait, de son vivant, que sa statue.

On l'inaugura à Arles le 29 et le 30 mai 1909. « Assister de mon vivant à l'érection de ma statue, écrivait-il à Jean Ajalbert, est la plus effroyable tuile qui pût me tomber sur la tête, et je donnerai tout ça pour un déjeuner d'amis. » Mais on ne lui demanda pas son avis. Un comité parisien et marseillais, sur l'initiative du financier Charles-Roux et du pharmacien Mariani, ouvrit une souscription pour faire agrandir une statuette de trente centimètres, qui appartenait à l'apothicaire, ce qui donna un Mistral de bronze aux proportions ridicules. L'argent ne manqua point. Les communes du pays souscrivirent, sauf Châteaurenard, oublieux de *Nerto*, et qui prit au tragique son rôle de sentinelle rouge aux confins de la Vendée provençale. Son maire, radical-socialiste, dans une lettre au *Petit Journal*, dénonça dans Mistral « le bonze toujours adulé, obstinément abîmé dans la contemplation de son nombril ou drapé dans sa vanité sénile », le compara à Sisowath, le dénonça comme réactionnaire et termina en apprenant au journal qui avait imprudemment raillé le conseil municipal de Châteaurenard : « que, au cours d'une précédente séance, le Conseil, sur ma proposition, a voté une subvention au monument à élever à Danton et à Gambetta » et une autre pour Michel Servet. La guerre de Pampérigouste entre blancs et rouges du Midi ! Mistral n'a jamais prétendu échapper à la Muse de l'abbé Favre et de la *Campano Mountado*. Quel dommage qu'elle n'ait pas eu, en 1909, son délégué en Arles ! « Il ne lui manque que la valise ! » disait Mistral de ce bonhomme de bronze qui, le pardessus sur le bras, prenait le chemin de la gare. Il lui manque aussi son poète comique.

On était alors en pleine défense républicaine, et il eût été dangereux que les radicaux du pays, dont le maire de Châteaurenard s'était fait l'interprète, parussent sacrifiés quand le « réactionnaire » était statufié. Et puis cette statue à un vivant, ce comité fantaisiste... Le ministre de l'Instruction publique, Gaston Doumergue, bien qu'il fût du Gard, ou parce qu'il était du Gard, se récusa. L'homme de bronze se contenta d'un sous-secrétaire d'État, Dujardin-Beaumetz. Le projet de banquet ayant provoqué des réclamations politiques (il en eût fallu un de droite et un de gauche), le sous-secrétaire s'avisa qu'il venait d'être frappé par un deuil récent, et il n'y en eut pas du tout. D'autre part, Mistral, à soixante-dix-neuf ans, n'était encore qu'officier de la Légion d'honneur. Les Beaux-Arts ne pouvaient arriver à Arles sans une cravate. Dujardin l'apporta.

L'Académie française était représentée par Melchior de Vogüé, la Société des Gens de Lettres, officiellement, par son président Georges Lecomte, la poésie par Mme de Noailles, le théâtre d'Orange par Mounet-Sully, qui dit le *Lion d'Arles*. Le mistral hachait discours et vers : il fallait qu'il fût au rendez-vous. Au moment où Dujardin-Beaumetz se levait, quelqu'un l'attrapa par la queue de son habit : *Es moun tour ! passarès après ieu, moun bon moussu.* C'était Charloun Rieu, qui représentait le paysan. Brave Charloun ! Il parla, puis Dujardin put sortir sa cravate, et le banquier Charles-Roux, naturellement le seul commandeur de la compagnie, donner l'accolade à Mistral, qui se leva et dit le début de *Mireille*. Que n'étiez-vous là, Fortunette !

Que n'y étais-tu, Muse favrette et roumanillette, *Muso di zambougno e di lut* ! Ou simplement le vieil ami Alphonse Daudet ! Arles eût fourni les deux premiers chants de notre *Estatuo mountado*, Saint-Gilles les deux derniers, et les meilleurs.

Car, ce dimanche-là, les Félibres n'étaient pas à Arles, mais à Saint-Gilles, où se tenait la Sainte-Estelle, l'une des rares où Mistral ne parût point. Il se connut que le porteur de lyre, le modérateur était absent !

Plus fort que le mistral, soufflait alors le vent politique venu du Nord. Le capoulié Pierre Devoluy, bien qu'il n'eût pas été dreyfusien, était de gauche. Surtout il était protestant. Mistral, qui avait fait l'élection de Devoluy, quoique bon catholique, aimait les calvinistes du Midi, les considérait comme les représentants, sous Louis XIV, de son indépendance et de ses libertés, ne séparait pas Jean Cavalier de Pascalis, s'émouvait quand des dames protestantes de Nîmes, avec qui il visitait la tour d'Aigues-Mortes et lisait les noms des prisonnières emmurées par Louis XIV, lui disaient : « Ce sont nos saintes Maries ! » On pense bien que ni la noblesse de Provence, ni l'Enclos Rey ne partageaient des sentiments où l'esprit du maire de Gigognan se dilate et se transfigure dans le large génie du maître de Maillane.

C'est pourquoi un félibre ingénieux, le comte de V..., imagina un tour renouvelé des *Ames Mortes* de Gogol. Un certain nombre de mainteneurs ne payaient pas leur cotisation. Il avait fallu les mettre en sommeil, et ils ne votaient pas. On s'avisa que ces mauvais payeurs pourraient donner une majorité de droite, et, réglant pour eux leurs termes en retard, on fit avec leurs voix un bloc appréciable. Il s'agissait de démolir le calviniste et d'élever au capouliérat le félibre à particule. Joignez-y le conflit des félibres provinciaux avec le chancelier parisien, le programme de certains maîtres d'école qui veulent l'infinitif en *r*, et vous comprendrez l'importance félibréenne de la journée du 30 mai.

Au banquet, gauche et droite s'affrontèrent. A gauche, derrière le capoulié, les républicains Laforêt, Mouzin, Chassary, Ronjat, Tournier, celui-ci député de l'Ariège. A droite, derrière le comte, le chancelier Mariéton, Arnavielle dit l'Arabi, Gantelme, le frère Savinien. La réunion avait été organisée par le poète-charretier de Saint-Gilles, Laforêt, colosse violent que Mistral, en préfaçant ses poèmes, avait comparé à Apollon, au risque de lui chavirer les idées.

Arnavielle mit le feu aux poudres quand il dit : « En donnant à Mistral la cravate de la Légion d'honneur, le gouvernement de la République s'est honoré. » C'était vrai, et, venant d'un royaliste, c'était bien, mais jeta en convulsions le député Tournier, qui s'écria : « Vous insultez la République ! » On s'apaisait, quand, après le *Chant de la Coupe*, Arnavielle annonça la nomination de quatre majoraux, portés par les voix de droite. Tournier hurla : « Vous en avez menti ! » Alors, un événement se produisit, inouï dans les annales du Félibrige, mais non dans le *Siège de*

Caderousse. Le félibre charretier se précipita à coups de poing sur le chancelier Mariéton et lui cassa une dent.

Au fond le Laforêt de Saint-Gilles n'était pas plus méchant que le Lafeuillade de Caderousse. Épouvanté de son attentat, il le déplora en sanglotant. Plus encore qu'à la mâchoire du chancelier, son coup de poing avait été néfaste au prestige de la gauche, à la fortune du capoulié Devoluy. Mistral apprit le dégât le lendemain, dut écouter les uns et les autres, arbitrer, mesurer plus avarement ses *As resoun* !

A Laforêt et à Mariéton, le poète de l'*Estatuo Mountado* se fût dû d'ajouter, comme agent de la bagarre, le Tavel, un vin du Gard, qu'on avait sans doute mis dans la *Coupo Santo*, d'une sève allante et parfumée, mais capiteux, agressif, ennemi de la paix dans la République des Lettres. C'est à ce diable rose, aidé de son petit-cousin le Saint-Siffret, que de bons esprits ont attribué l'an dernier la bataille racinienne d'Uzès. Pour la *Coupo Santo*, Mistral, dans sa haute sagesse, exigeait volontiers le Châteauneuf, vin puissant, substantiel, olympien, qui, vin des papes avant de l'être des félibres, a fait ses preuves dans le gouvernement de la chrétienté aussi bien que dans *Calendal* et les *Iles d'Or*. Qui s'écarte de Mistral, ici encore, s'écarte de la raison.

Pour la première fois peut-être l'Académie française, s'honorant, comme eût dit l'Arabi, avait été représentée, non officiellement d'ailleurs, à l'inauguration de la statue d'un écrivain vivant, qui n'était point de ses membres. Léon Daudet reproche fréquemment à l'Académie d'avoir appelé Jean Aicard au lieu de Mistral (sans compter Alphonse Daudet et Maurras) à figurer chez elle la Provence. Il faut être juste et ne l'accuser que de méfaits réels. A deux reprises, une fois par Legouvé et Claretie, une autre fois par Coppée et Bourget, elle offrit un fauteuil à Mistral, presque à l'unanimité, et en le dispensant de visites. Pourquoi Mistral refusa-t-il? Pourquoi, dans la valise qui manque à son bronze, en route vers la gare, n'y a-t-il pas d'habit vert? Deux raisons à cette symphonie d'absences.

D'abord Mistral mit, pendant un demi-siècle, une énergie obstinée à ne vouloir être qu'écrivain et homme de lettres provençal, se refusant à donner aux traductions françaises de ses poèmes le moindre appareil littéraire, ne prenant la parole publique qu'en provençal. Quand il était entré à l'Académie des Jeux Floraux, la langue d'oc, qui en était bannie depuis Louis XIV, y rentra par son discours. Il se serait refusé devant l'Académie à un discours en français. Il ne pouvait être question d'y admettre un discours en provençal. Restait à lui appliquer une jurisprudence créée pour le Provençal Émile Ollivier, à le recevoir sans discours public. On y fût sans doute venu, s'il eût voulu.

Mais Mistral ne voulut pas. Il lui eût fallu compliquer sa vie, passer trois mois par an à Paris, devenir pour toute la Provence le distributeur des prix de vertu, que sais-je encore? Évidemment, il eût rendu des services. Ce n'est pas lui présent que le Dictionnaire de l'Académie eût donné *viedase* pour un « mot provençal qui signifie visage d'âne ! » Mais il était Mistral de Maillane. Aller à l'Académie, c'était opter pour Paris, retourner sa peau : « Je suis habitué, écrit-il à Bourget, comme saint Siméon Stylite, à vivre isolé sur ma colonne, et si Dieu me réserve encore quatre ou cinq ans pour lier ma falourde, il serait peu sage à moi de brûler, comme on dit, le chemin qui me reste : *Parva domus, magna quies.* Et l'Académie est une grande maison. » Dans sa maison blanche, qui était aux raseurs ce qu'un morceau de sucre est aux mouches, il n'était déjà pas si grand, son repos !

Sa part de fumée, comme dit Voltaire, il la refusa. Le quarantième d'immortalité à la parisienne ne le tenta pas. Mais ses dernières années, enveloppées de l'encens de ses collines, se nourrissent d'une immortalité qui, sans effort, s'organise, et qu'il organise, autour de lui. Il sortait peu à peu du passager. Le grand instituteur de la Provence achevait de donner à tout ce qui descendait de lui figure d'institution. Il achevait le *Museon Arlaten.* Il faisait de sa maison la maison héroïsée de Maillane. Il eût voulu laisser à son village un beau souvenir éloquent, comme les Romains d'Arles et de Saint-Rémy, en jetant, à l'entrée, sur la rue principale un arc monumental. De sa fenêtre, il avait vu peu à peu son léger tombeau sortir de terre, tout blanc, et qui posait avec grâce sur le ciel bleu sa coupole à croix.

Nous sommes ici dans le vallon des Muses, et puis dans un village français. L'arc de Mistral ne se fit pas, parce qu'un lambeau de terre sans valeur était nécessaire, et que son propriétaire déclara qu'il ne le vendrait jamais au Poète tant que les blancs seraient à la mairie. Mistral souhaitait vivement que les visiteurs de sa maison gardassent, de la fenêtre où lui-même l'avait contemplée, la vue de son tombeau. Il eût suffi de réserver un peu du terrain libre existant. Aujourd'hui, c'est vendu, bâti : rancunes de village, encore.

Cependant le monde entier passait par Maillane. Mistral se prêtait à sa gloire avec une indulgence narquoise, et songeant que dans l'éternité le moment viendrait assez vite où son tombeau ne désignerait plus par son étoile que le souvenir pâli d'un mage ignoré. Sa dernière année se déroula dans un rythme solaire, large et doré, d'apothéose. Le 11 mai 1913, aux fêtes félibréennes d'Aix, il est reçu solennellement dans la salle des États de Provence, les étudiants détellent sa voiture, une Limousine est proclamée reine du Félibrige, et la belle fille dans le beau costume de son pays, le vieux poète finissant, forment et ferment tout le cercle de la poésie d'oc, des troubadours limousins, les grands premiers, jusqu'aux félibres de Provence, les grands derniers. Le 13 septembre, Saint-Rémy célèbre autour de lui le cinquantenaire de l'opéra-comique composé à l'Hôtel Ville-Verte. Le 14 octobre, comme le Président de la République revient d'Espagne, le train présidentiel s'arrête à Graveson, le président Poincaré visite officiellement le chef du peuple du Soleil et l'emmène déjeuner dans son wagon. Mais, cette fois encore, nous sommes au village. Nous excusons le Maillanais rouge qui prétendit garder tout son terrain jusqu'au départ des blancs, lorsque nous voyons le conseil municipal royaliste de Maillane refuser de recevoir le chef de l'État, et les blancs s'égailler dans leurs champs devant M. Poincaré, comme les noirs dans la brousse dès que l'administrateur est signalé.

Quinze jours après, c'est la Toussaint,

l'hiver qui vient, le dernier, celui que l'an d'avant le poète avait accueilli en publiant les *Olivades* : « Tout me dit que l'hiver est arrivé pour moi, — et qu'il faut sans retard, amassant mes olives, — En offrir l'huile vierge à l'autel du bon Dieu. »

Le 18 mars 1914, Mistral, qui s'était rendu sans sa calotte de velours à l'église, pour y voir une cloche dont il avait composé l'inscription et qu'on devait inaugurer en sa présence, déclara en sortant : *Fai pas caud!* Le froid l'avait saisi. Il mourut une semaine après, le 25 mars. Son dernier mot, suggéré par sa femme, fut : « *Li Santo !* » Toute la Provence le conduisit au pavillon de la reine Jeanne. Dans la foule accourue à Maillane, personne ne remarqua un vigneron sec et silencieux, arrivé du matin, avec la valise de carton qui n'avait pas servi depuis son voyage de Paris. Des deux mystiques qui avaient prophétisé pour le Midi et qui avaient régné sur ses foules, c'était, depuis deux jours, le seul survivant : Marcellin Albert.

« Adieu, adieu en Sainte Estelle ! » avait

dit Mistral parlant sur la fosse d'Aubanel. Il y a pour le félibre une immortalité en Sainte Estelle. Je crois que c'est d'elle que Mistral, en 1863, établissait le principe dans une lettre à Bonaparte-Wyse : « On n'a peut-être là-haut que l'immortalité que l'on mérite. Peut-être la vie future n'est-elle proportionnée qu'aux aspirations plus ou moins énergiques de la vie actuelle. Je comprends que l'âme d'un moucheron ou d'un crétin retourne, après la mort, dans l'océan de vie, dans le grand être ; mais l'âme d'un génie ou de tout être qui s'est fortement accentué doit persister indépendante ; le soleil boit la rosée, mais non pas les fleurs. »

Quelle immortalité rêvait-il ? Sur quel plan d'étoile, sous quel rayon de Sainte Estelle, le poète, la mort traversée, continue-t-il à mériter, à s'efforcer, à sentir et à chanter? Il s'en explique dans le dialogue de Bertrand de Lamanon et du félibre Verdoulet (Mistral et Aubanel?) que Bertrand, après la mort de Verdoulet, rencontre au cours d'un songe sur les routes du ciel. Puisque la Provence était un paradis, dit-il, qu'est-ce que le paradis du félibre, sinon de retrouver la Provence, de « revoir ces réunions bienheureuses et mystiques, ces félibrées d'Avignon, de Châteauneuf, de Fontségugne, étincelantes de larmes, et où les cœurs unis chantaient autour de la Coupe fraternelle? » Qu'il y ait une Provence là-haut, qu'on parle provençal dans le ciel, Mistral, bon catholique, l'espère, puisque la Vierge à Lourdes et à la Salette a parlé en langue d'oc. Mistral est né le 8 septembre, jour de la Nativité de Notre-Dame; il est mort le 25 mars, jour de l'Annonciation ; il a publié *Mireille* le 2 février, jour de la Purification : il ne doutait pas d'une attention et d'une surveillance particulière de la Vierge à l'égard du poète et du défenseur de sa langue terrestre. Comme dans un paradis dantesque, elle est la clef de voûte d'un arceau de lumière où éclatent les Saintes Maries et la Sainte Étoile.

Si, comme il est possible et probable, l'œuvre de restauration provençale échoue ou languit, l'œuvre de foi en Sainte Estelle demeure. Un poète n'écrit pas la langue que les hommes parlent, puisque les hommes parlent en prose. Mais il écrit la langue que les hommes parleraient s'ils devenaient des génies ou des anges. Le provençal du poète de Maillane rejoint donc le provençal du ciel : « De toute chose belle, dit Bertrand de Lamanon à Verdoulet, se retrouve en Dieu le parangon encore plus beau. » De là l'*Archétype*, qui est l'acte de foi du poète en ce parangon. De son château provençal, il voit passer les ambitions, les illusions, les négations, les avortons des races, les oiseaux de proie, s'abîmer la Provence passagère, et les peuples, et son peuple vieillir, mourir comme les hommes. De cette Provence sensible qui s'écoule et qui tombe, il remonte, et sans doute la mort le fait remonter à une Provence intelligible, dont ses dernières années pressentent ou reconnaissent l'entre-lueur : « Sur la mer de l'histoire, pour moi, — tu fus, Provence, un pur symbole, — un mirage de gloire et de victoire, — qui, dans la transition ténébreuse des siècles, — nous laisse voir un éclair de beauté. » Cette vie si pleine, et qui n'a refusé aucune des grandes tâches humaines, se résoud, se ramasse et se reconnaît en ces mots du pur poète.

La destinée de Mistral est contenue dans celle de Mireille comme le fruit dans la fleur. La jeune Mireille est terrassée, non, comme le vieux poète, par le froid d'une église, mais, en pleine Crau, par le splendide soleil. Les Saintes la recoivent. Le soleil de Provence s'achève pour elle comme il s'achèvera pour Mistral en Soleil du monde intelligible. Ainsi Platon, à la fin du *Phédon*, compose l'univers surnaturel des justes en transfigurant les couleurs de pierre précieuse que l'Hymette prend au crépuscule sur l'horizon de sa patrie.

Imprimé en France
FROC022032210120
23239FR00019B/281/P

9 782329 356327